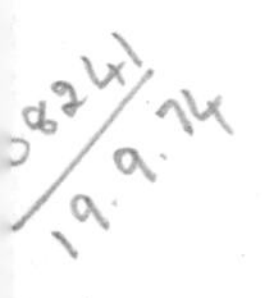

GÖPPINGER ARBEITEN ZUR GERMANISTIK
herausgegeben von
Ulrich Müller, Franz Hundsnurscher und Cornelius Sommer

Nr. 104

ROMANTISCHER MYTHOS UND ROMANTIKKRITIK IN PROSADICHTUNGEN ACHIM VON ARNIMS

von
Bernd Haustein

VERLAG ALFRED KÜMMERLE
Göppingen 1974

Münchner Dissertation

Verlag Alfred Kümmerle, Göppingen 1974
Gesamtherstellung: Offsetdruckerei G. Bauknecht, München

ISBN 3-87452-208-3

Printed in Germany

INHALT Seite

E I N L E I T U N G

1.
EIN UNGELÖSTES PROBLEM DER FORSCHUNG

Arnims Verhältnis zur Romantik gehört seit seinen Lebzeiten zu den ungelösten Problemen der Kritik. Er vermische, so urteilten die meisten seiner Rezensenten, romantisch-phantastische und realistische Elemente derart, daß er sich als Künstler disqualifiziere. Offenkundig besaß er, wie Immermann schreibt, "die entschiedensten Anlagen zur sogenannten beschreibenden Poesie"[1], doch destruiere er durch jenes "Vermischen zweier Sphären"[2] die seinem Talent angemessene Konzeption. - Immermann erklärt sich diesen angeblichen Widerspruch tautologisch; die "kranken Seiten" der "sogenannten neuen Schule" hätten Arnim fasziniert, "das Hinaustreten in eine zügellose Willkür" müsse ihm "als etwas Positives, Wahres und Schönes erschienen sein"[3]. Den ideologischen Kern des Problems deutet er zwar an, indem er auf den regressiven Charakter romantischer Tendenzen aufmerksam macht, doch begnügt er sich im Hinblick auf Arnim mit dem formalistischen Urteil, das ihn berechtigt, dessen Hang zum "Unwahrscheinlichen" als unangemessen abzuqualifizieren.

Immermanns Urteil ist bis etwa zum Ende des zweiten Weltkrieges typisch geblieben für die Kritik an Arnim[4]. Aus klassizistisch-realistischer Perspektive galt seine Kunst als unausgegorenes Übergangsphänomen zwischen Romantik und Realismus; wurde der Realist gelobt, so wurde seine Phantastik einer ausschweifenden, bisweilen auch pathologischen Phantasie angelastet. Es fehlte auch nicht an Stimmen, welche die künstlerische Qualifikation des Phantasten außer Frage stellten[5], die von dem als widersprüchlich empfundenen Charakter seiner Dar-

---

1) K. Immermann, "Landhausleben". Erzählungen von L.A. von Arnim. "Reisebilder" von H. Heine (Jb für wiss. Kritik 1827). Zitiert nach: Meisterwerke deut. Literaturkritik, hsg. von Hans Mayer, 2 Bde. Berlin 1954-56, Bd. II, S.148.

2) Ebd. S.149.

3) Ebd. S.150.

4) Das Erscheinen des Forschungsberichts von Volker Hoffmann (Die Arnim-Forschung 1945-1972, DVjS Jg.47 Sonderheft 1973) macht weitere Belege hierfür überflüssig. Hoffmann setzt sich ausführlich mit den problematischen Topoi der Forschung auseinander. Außerdem gehen fast alle Kritiker seit 1945 darauf ein.

5) Vgl. Heinrich Heine, Die romantische Schule, Hamburg 1836. - Auch Hebbel

stellung nicht zu trennende Besonderheit seiner Kunst wurde jedoch auch so nicht erhellt.

Nach dem zweiten Weltkrieg begann sich eine grundsätzlich andere Auffassung der Arnimschen Dichtung durchzusetzen. Die Positionen der älteren Kritik wirkten zwar weiter, doch wurden sie immer häufiger verworfen zugunsten einer mehr dialektischen Betrachtungsweise, welche die Einheit Arnimscher Darstellung entweder im strukturalen Sinn und allmählich auch in den ideologischen Implikationen der früher abqualifizierten Heterogenität suchte. Mit Wilhelm Lehmanns Forderung[1], das Romantisch-Phantastische bei Arnim funktional, als Element der Wirklichkeitsbewältigung zu begreifen, war die Wende in der Forschung markiert.

Untersuchungen von Symbolik ("Urzeit"-Problematik)[2] und phantastischer Geschichtsbehandlung[3] stellten klar, daß Arnim aus der romantischen Tradition nicht zu lösen ist. - In den letzten Jahren wurde auch seiner dichterischen Sozialkritik genauer nachgegangen[4]. -

---

akzeptiert Märchenelemente (z.B. Tagebucheintragung vom 20.2.1842). - Hellmut Mielke (Gesch. des deut. Romans, Stuttgart 1904) bekennt sich zu den phantastischen "Kronenwächtern", - ebenso Hoffmannsthal (vgl. Tagebuchnotiz 1917, in: Aufzeichnungen, S. 184, Ges. Werke in Einzelausgaben, hsg. von H. Steiner, Frankfurt 1955).

1) Wilhelm Lehmann, "Zum Bilde Ludwig Achim von Arnims", in: W.L., Bewegliche Ordnung; Aufsätze (1947), (2. erw. Aufl.), Bibliothek Suhrkamp, 35, S. 80-85. Vgl. V. Hoffmann, Die Arnim-Forschung, a.a.O., S. 290 f.

2) E.L. Offermanns, Der universale romantische Gegenwartsroman Achim von Arnims. Die "Gräfin Dolores" - Zur Struktur und ihren geistesgeschichtlichen Voraussetzungen. Diss. Köln 1959.

3) Margarete Elchlepp, Achim von Arnims Geschichtsdichtung "Die Kronenwächter". Ein Beitrag zur Gattungsproblematik des historischen Romans. Diss. Berlin 1966.

4) Hermann Weiss, Achim von Arnims "Metamorphosen der Gesellschaft". In: Zs.f.dt. Philologie. Bd. 91, H. 2 (1972), S. 234-251. - Hans-Georg Werner, Arnims Erzählung "Metamorphosen der Gesellschaft". In: Wiss. Zs. der Univ. Halle XVIII '69, H. 2, S. 183 ff.

Die vorliegende Arbeit nun ist ein Versuch, den sozialkritischen Empirismus und den Romantizismus Arnims als Ausdruck seiner politisch-ideologischen Position zu synthetisieren. - Das setzt eine differenzierte Darstellung seines Verhältnisses zur Romantik voraus. Ausgangspunkt ist Arnims Reaktion auf den "Heinrich von Ofterdingen" des Novalis: "Die Durchsicht des zweiten Bandes von Ofterdingen ist mir sonderbar bekommen; er hat mich fester überzeugt, daß so überhaupt keine Dichtung weiter entstehen kann, sondern daß sie da mit der Entwerfung des Planes aufgebraucht ist, - wie Didos Ochsenhaut, die den weiten Acker feingeschnitten umspannt, keinem mehr zum Lager dienen kann[5]. Das heißt, Arnim lehnt 'Verinnerlichungs'- oder 'Gemütserregungskunst' ab. Diese Haltung Arnims wird hier nachgewiesen vermittels toposgeschichtlichen Vergleichs - beispielsweise im 1. Kapitel - des Symbolkomplexes Bergwerk-Unterreich bei Novalis, Tieck, Hoffmann und Arnim. Arnims Behandlung dieser Symbole erlaubt es, von dichterischer Romantikkritik zu reden, insofern er frühromantische Erkenntnissymbolik zur Darstellung künstlerischer Entwicklung benutzt, sie jedoch ideologiekritisch rationalisiert. Der durch die Erkenntnisbewegung im Unterreich der Kunst symbolisierte "Weg nach Innen", der bei Novalis mit naturphilosophischer, historischer und psychologischer Erkenntnis die Einsicht in den Zustand einer glücklichen "Vorzeit" und in die Aufgabe des Dichters, nach deren Gesetzen die Wirklichkeit zu poetisieren, bringt, - dieser "Weg nach Innen" führt bei Arnim geradewegs ins Fegefeuer dichterischer Hybris, also zu Realitätsverlust und Ich-Vergötterung. Dichterische Erkenntnisbildung ist für ihn nur in der Verbindung von Phantasie und Verstand, von 'Außen'- und 'Innenerfahrung' möglich. Folgende Sätze fassen dies zusammen: "Nun weiß ich, daß ich nichts gedacht/Seitdem ich nichts getan (...) Das innre Leben ward nicht mein/Seit ich das äußre mied" (III, 146)[2], sagt ein zur Einsicht gekommener Bergmann Arnims. Und:"Je tiefer wir in uns versinken/Je näher dringen wir zur Hölle" (I, 408). Politisch konkretisiert bedeutet dies 'Versinken in sich' Mittäterschaft aufgrund Ignoranz gegenüber sozialen Repressionen ("Des ersten Bergmanns ewige Jugend", "Die Kronenwächter").

Die Verteufelung dieser Vorgänge resultiert aus einem Pessimismus, dem die frühromantische Hoffnung, durch Poetisierung oder meditative Therapie (Kleists Marionettenaufsatz) das Paradies zurückzugewinnen (wie künstlich-utopisch und unvollkommen immer), als Gotteslästerung erscheint. Das Paradies ist für Arnim

---

1) an Brentano März 1805 aus Heidelberg. In: Achim von Arnim und die ihm nahe standen, hsg. von R. Steig und H. Grimm. 3 Bde. Stuttgart 1894-1904 (Steig I, II, III). Bd. I, S. 136.

2) Zitiert wird nach der von Walther Migge herausgegebenen Ausgabe: Sämtliche Romane und Erzählungen. 3 Bde. München 1962-65.

verschlossen, - künstliche Paradiese sind bei ihm Orte der geistigen und erotischen Gefährdung, also der Verführung, Lust und Gewissenlosigkeit. Die mystischen goldenen, silbernen und edelsteinernen Äpfel der Erkenntnis des romantischen dichterischen Unterreichs mahnen bei Arnim als Äpfel der Versuchung zu Demut, Buße und Disziplinierung nach christlichen Grundsätzen. Da es "keinen Moment ohne Geschichte gibt, als den absolut ersten der Schöpfung" (Steig III, 134), hat die Menschheit sich mit dem Los ihrer Sündenfälligkeit abzufinden. Das hat der Dichter zu zeigen. Mit der Vertreibung aus dem Paradies ist der Mensch psychologischen und sozialen Widersprüchen ausgesetzt, - die Liebe wird korrumpiert durch die Lust, die Erkenntnis durch den Golddurst. Damit verbindet sich für Arnim der Anspruch politischer und historischer Konkretisierung des poetisch Darzustellenden, wie sich überhaupt intellektuelle Tätigkeit nur als Tat legitimiert. Das Lob des schweizer Wissenschaftlers Horace Benedikt von Saussure und seiner pädagogischen Grundsätze in Arnims Erstlingsroman "Hollins Liebesleben" (1802) ist hierfür paradigmatisch: "Er sann darauf, den Wurmstich aller neuern Kultur, die Trennung der Spekulation vom Leben, das Historische ohne Glauben, das Kennen ohne Wissen in seinem Ursprunge auszurotten (...), alle Kenntnis sollte bloß durch Anleitung, durch Anregung und Aufmunterung aus der Erfahrung selbst, aus ihrem Ganzen mit Bewußtsein herausgehoben, im unbefangenen jugendlichen Sinne hervorgehen" (II, 82). Dieser Verpflichtung sich zu entziehen, bedeutet nach der Tatsache der Erbsünde, also der permanenten 'irdischen' Problematisierung und Gefährdung menschlichen Bewußtseins, Hingabe an die Hölle. Daher Verteufelung des künstlichen Paradieses, in dem psychische und soziale Widersprüche aufgehoben werden sollen. Daher auch die Unmöglichkeit bei Arnim, verherrlichende Bilder von "Vorzeit"-Zuständen zu geben: es gibt kein "Erlösungsmärchen" bei ihm, das nicht dialektisch auf eine 'sündenfällige' Realität bezogen und so in Frage gestellt würde. Ebenso verherrlicht er nicht das Mittelalter, obwohl ihm die Zeit der Hohenstaufen als eine Zeit der "Vollendung" erscheint, - er beschreibt die Auflösung des Mittelalters, den 'Verrat' frommer Ideale aufgrund einer historischen Entwicklung, die mit den Revolutionskriegen seiner Gegenwart, dieser "zerrissenen" Zeit, einen vorläufigen Tiefpunkt erreicht.

Aus diesem Bekenntnis zur existentiellen Widersprüchlichkeit des Bewußtseins, - zur Notwendigkeit ihrer empirischen Fixierung, aber gleichzeitig zu ihrer Rückkoppelung an die Erbsündeidee - wobei der romantische Symbolapparat seine entscheidende konstitutive Funktion auch bei Arnim erhält -, entsteht jener 'Widerspruch' 'realistischer' und romantischer Elemente. Arnims Dichtung ist teilweise Sozio-Psychologie, die aber im Prinzip keinen realistischen Kontext konstituiert, sondern das 'irdische' Geschehen in seiner Gefährdung oder Korruptheit darstellt zum Aufweis einer 'gefallenen' Menschheit. Sein Bildungs- und Künstlerroman "Die Kronenwächter" von 1817 deskribiert z. B. streckenweise Erziehung und Bildung als Indoktrination und Vehikel bestimmter Klasseninteressen. Der romantische Künstler Berthold findet mit der Entdeckung einer glücklichen "Vorzeit" nicht die Idee künstlerischer Verkündigung und damit den Sinn seines Lebens wie die Helden der romantischen Bildungsromane sonst, sondern er geht an den sozialen Widersprüchen der Zeit, die sich als psychologische verfestigen, zugrunde, weil seine Erziehung romantisch und so weltfremd war. Berthold soll sich als Bürger bewähren "im Geiste" der guten "alten Zeit" entsprechend der Arnimschen Ideologie der "Versöhnung" von Feudalismus und Bürgertum, doch seine wirklichkeitsfremde Erziehung liefert ihn unbewußt der Reaktion aus, womit die psychischen Voraussetzungen seiner Mission verloren sind. - Soweit genügt die Darstellung dem programmatischen Satz aus der Novellensammlung von 1812 (angesichts eines verarmten Mannes, der sich, sowie er zu etwas Geld kommt, einen Adelstitel zulegt): "So wahr ist's, daß etwas Daurendes nur durch Erziehung begründet ist, und daß jede Weltänderung, die keine innere Beziehung (was von äußeren Erziehungsvorschriften und Systemen ganz verschieden) zur Erziehung hat, wie ein Wolkenschatten vorübergeht" (II, 628). Die empirische Konzeption der Erziehungsgeschichte wird aber sozusagen aufgesogen von der phantastischen des Romans, d.h. sie wird mythologisch rückgebunden an die Erbsünde, nach der Bertholds individuelle Geschichte die Spiegelung des Sündenfalls der mittelalterlichen Gesellschaft, also der Auflösung jener frommen Lebenseinheit ist. Auf Bertholds Geschlecht, dem der Hohenstaufen, lastet ein Fluch, den seine Erziehung nur tradiert, dem er verfallen muß und in dem sich symbolisch die pejorative historische Entwicklung ausdrückt. - Es ist also grundsätzlich fragwürdig, von Arnims 'Realismus' zu reden, da das Ziel seiner Darstellung prinzipiell nicht der Aufweis einer empirisch erfaßbaren und deshalb rational zu verändernden Realität ist.

Es gibt eine ganze Reihe von Erzählungen, in denen sich das Problem der Romantisierung bzw. Mythisierung nicht primär stellt. Das gilt beispielsweise für eine traditionell als besonders realistisch empfundene, angeblich an Kleist geschulte Erzählung wie "Der tolle Invalide auf dem Fort Rattonneau". Oder für "Frau von Saverne", in der die Foltermethoden eines pariser Polizeipsychologen beschrieben werden zum Aufweis des Kontrastes zwischen der Wirklichkeit Frankreichs und dem Mythos vom edlen König, dessen wohltuende Allmacht in den Gesetzen der Nation sich reproduziere, welchen die Provinzlerin Saverne im Kopf hat. Oder für "Seltsames Begegnen und Wiedersehen", eine Erzählung aus den Napoleonkriegen, in der Liebende, die verfeindeten Nationen angehören, durch den Krieg auseinandergerissen und dann durch den Chauvinismus ihrer Freunde gehindert werden, das Wiedersehen anders als mit der Hinrichtung des 'Feindes' enden zu lassen (den die Liebende verhungern lassen muß).

Auch in diesen, von einigen christlichen Durchblicken abgesehen, ganz im empirischen Rahmen gehaltenen Erzählungen, verleugnet sich der Phantast, das heißt in diesen Fällen konkret: der 'Erbsünde-Theoretiker' Arnim nicht. Konstitutiv ist hier nämlich die Beobachtung des Wahnsinns und des Absurden, die sich methodisch in der vielgeschmähten Groteske, in der Neigung zum 'Übertreiben' und zum Skurrilen (im "Fratzenhaften", wie Gundolf sagte)[1] oder in einer Art des schwarzen Humors niederschlägt. Arnim zeigt eine absurd-böse, vom Bösen beherrschte Welt, und die Berechtigung, den 'Urfluch' als oberste kritische Kategorie anzunehmen, ergibt sich daraus, daß diese Welt nicht durch die menschliche Vernunft 'erlösbar' ist. Nur in gläubiger Demut ist das Böse einigermaßen unter Kontrolle zu halten, wie "Der tolle Invalide" zeigt, (dessen phantastische Konzeption - als Bildfolge und in dem genannten Sinne der mythischen Rückkoppelung der Bewußtseinskategorien - sich im Spiel mit dem Feuer ausdrückt, dem Leitmotiv und Symbol für die bevorstehende 'Höllenfahrt' des Invaliden, jenes 'Versinken in sich'). - Wolf-Dietrich Rasch hat als erster Arnims Technik beschrieben[2], seine Figuren im Bewußtsein des glücklichen Endes ihrer Geschichte durch ein neuerliches Unglück aufzuschrecken. Das heißt im Kontext der Arnimschen Geschichtsphilosophie nicht nur, daß man sich nicht auf seinen Lorbeeren ausruhen möchte, sondern sehr viel härter, daß die Vernunft allein nichts übers 'Schicksal' vermag. Dem widerspricht keineswegs Arnims Versöhnlichkeit, die bisweilen zum 'happy end' führt: das ist die Belohnung dafür, daß die Figur sich den Gesetzen der Buße und Demut fügt. Der Dichter läßt Gnade walten aus Gründen religiöser Didaktik. Warum das jedoch nur selten geschehen kann, kann mit einem programmatischen Satz aus der "Melück" zusammenfassend begründet werden: "Wir wünschten mit diesem Bilde der Unschuld die Geschichte schließen zu können: die Geschichte begnügt sich aber nicht mit schönen Bildern des Glücks" (II, 576). Daß sie es nicht tut, beruht nicht nur auf der historischen Situation der Erzählung zur Zeit der französischen Revolution, sondern auf dem Pessimismus des Autors: "So tief hat des Himmels Gnade das Verderben versteckt, der Mensch sucht es trotz allen Gefahren auf, oft scheint es, als ob sein höchster Mut erst in der Sehnsucht nach dem Verderblichen erwache, als ob die Überzeugung des Guten nicht diese heftige Flamme in ihm entzünden könne" (I, 675). Bevor Berthold (der diesen Satz veranlaßt) sich dem "Verderben" hingibt, kämpft er noch mit "der Stimme eines warnenden Engels": "aber der Teufel stand auch schon neben ihm" (I, 670). So ist es grundsätzlich bei Arnim, - er beschreibt in der Tat eine verteufelte Geschichte.

Arnims Verhältnis zur Romantik ist also ambivalent. Er verwirft sozusagen den romantischen Fichteanismus aufgrund eines romantischen Geschichtsverständnisses.

---

1) Friedrich Gundolf, Romantiker, Berlin 1931, S. 146.

2) W. D. Rasch, Achim von Arnims Erzählkunst. In: Deutschunterricht VII, 1955, Heft 2

Die mystischen Äpfel der Versuchung und Erkenntnis haben bei ihm die gleiche, Sozialisation und Bewußtseinskategorien mythisierende symbolische Funktion wie im Novalisschen Unterreich der Kunst beispielsweise, nur versucht Arnim, den Schwierigkeiten menschlicher Existenz nicht auf dem "Weg nach Innen" zu begegnen, sondern setzt ihnen den kategorischen Imperativ protestantisch-pragmatischen Handelns entgegen. Obwohl er die Fixierung des Unschuldszustandes verlorener goldener "Vorzeiten" in den künstlichen Paradiesen der Romantik als hybriden Geniekult verurteilt, bezieht auch er Geschichte stets auf 'Urgeschichte', ist für ihn die "Einheit" einer frommen "Vorzeit" Maß allen Seins. Sozusagen die romantische Krux seines sozialkritischen Empirismus ist die Erbsündeidee, derzufolge gesellschaftlich bedingte Widersprüche des Bewußtseins als absolute synthetisiert werden. Zur Vermittlung dieser Zusammenhänge bedient er sich eines romantischen Apparates von Erkenntnis- und Schicksalssymbolen und "vermischt" die Gestalten der sozialen Realität mit denen aus Mythen und Märchen: sie ermöglichen die Vergegenwärtigung von naturhaften Ursprungszuständen und so die Vermittlung von Zeitlichem und Ewigen.

2.
GESCHICHTSAUFFASSUNG

Zunächst ist die Frage zu stellen nach der politisch-ideologischen Position, von der sich Romantikkritik, sozialkritischer Empirismus und romantischer Mythologismus Arnims als Komplemente abheben. - Als Ausgangspunkt soll sein geschichtsphilosophisches Urteil über die Entwicklung seit dem Mittelalter gegeben werden, wie es sich aus den politisch-mythologischen Kategorien der hier zur Debatte stehenden Romane ("Die Gräfin Dolores" ist Arnims Zeitroman; der historische Roman "Die Kronenwächter" vermittelt sein Mittelalterverständnis) und der Novellensammlung von 1812 ablesen läßt, welche den 'Sündenfall' der mittelalterlichen Gesellschaft ("Isabella von Ägypten") mit der französischen Revolution ("Melück") als dessen katastrophale Konsequenz in Verbindung bringt.

Arnim versteht Geschichte organisch in der Tradition Herders, und ihre Bewegung gemäß dem Erbsündegedanken pejorativ. Die allgemeine entwicklungsgeschichtliche Konsequenz hieraus ist die Evolution, - die soziale Welt muß sich verändern, wie die Natur ihre Produktion modifiziert und variiert. Im konkreten politischen und moralischen Kontext bildet dies organische Geschichtsmodell jedoch den Hintergrund regressiver Tendenzen. Höchstes Maß alles Seins und Bewußtseins ist wie gesagt jene "Einheit" des mittelalterlichen Lebens, die sich zur Zeit der Hohenstaufen in besonderer "Vollendung" zeigte, und die sich mit einer Zeit des frühlingshaft-kindlichen Beginns, an welcher der 'Organiker' sein historisches Wertsystem orientiert, deckt ("Reines Bild des jugendlichen Lebens" heißt Arnims wichtigste Utopieträgerin, die Isabella von Ägypten, - II, 556). Das heißt, politisch ist bei aller Progressivität im Pragmatischen (worüber anschließend ausführlich berichtet wird) die feudal-'heile' Welt der "Vorzeit" Basis des Arnimschen sozialen Entwurfs. Moralisch wird die Naivität früherer Lebenstotalität gegen aufklärerischen Rationalismus und Aufrührertum ausgespielt. Revolutionen widersprechen der organisch-allmählichen Entwicklung und sind deshalb "Krankheiten der Zeitalter" wie soziale Krisen überhaupt oder Resultat spekulativer intellektueller "Übereilung" bzw. Krankheitssymptome der Vernunft. - Evolutionismus und Antirationalismus gehören hier also zusammen.

Im Verhältnis zur 'vollendeten' "Vorzeit" ist die Gegenwart "entartet" oder "zerrissen" (das sind ständig wiederkehrende Vokabeln der Romantik). Die Gründe hierfür, also der soziale Umbruch aufgrund der bürgerlich-ökonomischen Entwicklung, Revolution und Revolutionskriege, werden keineswegs primär dem Bürgertum angelastet, wie die antirevolutionäre Haltung Arnims Anlaß geben könnte zu vermuten. Sondern: die Aristokratie hat versagt, sie hat die mittelalterliche "Einheit" leichtsinnig verspielt; die Revolution ist hierfür nur die Quittung (der symbolische Ehebruch der Gräfin Dolores am 14. Juli ...). Die Entstehung der bürgerlichen Geldwirtschaft spielt als entscheidende Ursache der Entwicklung zwar in Arnims System eine zentrale Rolle, doch wird sie so entrationalisiert, daß dem Bürgertum die logische Funktion als historischer Initiativträger abgesprochen werden kann. Das Geld wird zum Paradigma des politischen 'Apfels der Versuchung', des ewigen Fluchs des Golddurstes, an dem die feudale Gesellschaft ihren Sündenfall erlebt. Karl V. ("Isabella") führt dies vor, indem er den "Alraun schnöder Geldlust", der aus dem Mythos als Sinnbild der Erbübel Machtgier und Geiz zu ihm nach Flandern findet, in sich "dämonisiert". Damit verfällt das Kaisertum symbolisch als Träger jener "Einheit", - damit wird aber auch klar, daß das Bürgertum, soweit seine Progressivität sich aufs Geld gründet, also der Kapitalismus, in Arnims Zukunftsplanung keine tragende Rolle zugesprochen bekommen kann.

Der hieraus sich ergebende soziale Entwurf verbindet sich mit praktischer Resignation (in der Dichtung). Arnim will die "Versöhnung des Geistes alter und neuer Zeit"[1]; das Bürgertum erhält so die Rolle des Kulturträgers, ökonomische Freiheit und ständische Selbstbestimmung werden zugestanden, - doch moralisch kann er sich mit der liberalen Progression nicht identifizieren. Die ständige Abwehr der fortschrittlichsten Tendenzen der Zeit, - die Tatsache, daß er die traditionelle

1) Was soll geschehen im Glücke. Ein unveröffentlichter Aufsatz Achim von Arnims. Hsg. von Jörn Göres. In: Jb der deutschen Schiller-Gesellschaft 5 (61), S. 199.

Klassengesellschaft grundsätzlich nicht antastet und zugleich das Bewußtsein, die feudale Gesellschaft habe versagt, resultieren in politischer Ratlosigkeit. Seine Helden gründen ein Waisenhaus, kompensieren die politische Aktion durch ein Stift, in dem Angehörige aller Religionen Ruhe finden können, sie warten auf ein Wunder (wie Marino Caboga, der wohl die deutlichste soziale Haltung bei Arnim vertritt und auch die unwahrscheinlichste Lösung der politischen Probleme erlebt) und häufig gehen sie ins Kloster oder aufs Land oder verzweifeln an der Allmacht des "Alraun schnöder Geldlust". So realisiert sich das Vorbild der 'Harmonie' der "Vorzeit" vor allem psychologisch, in den mythisch-idealen Frauengestalten der Novellensammlung von 1812 beispielsweise, in denen Intuition und Ratio, Unschuld und Lust, oder gewissermaßen Paradies und Gesellschaftlichkeit zur Synthese kommen. Und Isabella von Ägypten trägt die soziale Utopie Arnims in ein legendäres romantisches Morgenland, in dem sie eine ideale Monarchie freier Untertanen aufzubauen versucht, wie sie ähnlich in den Sagen aus "alter Zeit" in Novalis' "Heinrich von Ofterdingen" beschrieben wird.

Grundsätzlich ist die Welt der Arnimschen Dichtung unveränderbar, auch seine Figuren verändern sich also nicht. Seine Erzählungen - besonders deutlich die phantastischen, in denen er sozusagen mythologisch Farbe bekennt - sind in der Regel Proben oder Überprüfungen des Erbsündegesetzes, d.h. die Figur wird einem 'Apfel der Versuchung' konfrontiert, und es wird 'erwiesen', was von vornherein feststeht, daß das menschliche Bewußtsein zwischen Gut und Böse schwankt und daß man "sich selbst am wenigsten vertrauen darf" (II, 633): non consiliis hominum pax reparatur in orbe, ist ein Lieblingssatz Arnims (den Goethe ihm ins Stammbuch schrieb). Religiöse Disziplinierung, Buß- und Wiedergeburtsrituale sind dementsprechend von entscheidender Bedeutung, im privaten Bereich sowie aus weltgeschichtlicher Perspektive: "die reuige Buße kann viel, sie ist die wirksamste Kraft in den großen Begebenheiten wie in den kleineren des häuslichen Kreises; ihre Wiedererzeugung, bald unbewußt, hat seit dem Gedanken der Welt alle Krankheiten der Zeitalter geheilt" (I, 307). Wo aber die Buße den Menschen "nicht ganz erneuen kann: die Strafe ist die Ergänzung der Buße" (I, 308). - So kehren diese Erzählungen mit ihrem Resultat zum mythischen Ausgangspunkt zurück: es geht um die Rettung verlorener Unschuldszustände, wie sie angeblich die Grundlage der mittelalterlichen 'Lebensharmonie' bildeten.

Im Anspruch sozusagen auf mythologische Reinigung seiner Figuren von den Übeln der Zeit stimmt Arnim also mit den Romantikern überein. Auch seine Dichtung nimmt eine "Mittlerstellung" ein "zwischen Urzeit und Zeit, Mythos und realer Geschichte, und zwar in dem Sinne, daß durch solche Mittlerstellung der Kunst eine geradezu geschichtsaufklärende Rolle zukommt"[1), das heißt eine die sozia-

1) W. Emrich, Begriff und Symbolik der "Urgeschichte" in der romantischen Dichtung. In: Protest und Verheißung, Frankfurt 1960, S.33.

len Widersprüche der Gegenwart harmonisierende Funktion. Doch glaubt Arnim nicht an die Erlösungsfunktion der romantischen "Poetisierung der Welt", wie es sich in seiner kritischen Umfunktionierung der autistischen romantischen Mythen und Methoden, in seiner 'dichterischen Romantikkritik', wie anfangs ausgeführt wurde, spiegelt. Arnim will 'Erlösung' im romantischen Sinne pragmatisch-politisch als Versöhnung sozialer Antagonismen; wie bemerkt, bringt er für den diese Versöhnung herstellenden Entwurf eine Reihe progressiver Tendenzen ein, die ihn die restaurative Lösung ablehnen ließen. Trotzdem resigniert er, - offensichtlich, weil er sich ideologisch von feudalen Grundsätzen nicht lösen konnte, die ihm die aufklärerisch-kapitalistische Entwicklung als existentielle Bedrohung erscheinen ließen. Der abwehrmechanistische Charakter der dichterischen Behandlung von Geld und Wissenschaft spricht hierfür: ihre Repräsentanten werden regelmäßig grotesk, d.h. moralisch disqualifiziert durch Erniedrigung ins Viehische oder Teuflische. Demgegenüber werden die im "Geiste der Vorzeit" Lebenden oder Büßenden mythisch erhöht, die moralischen Kriterien zur Verteidigung dieses "Geistes" werden also der Nachprüfbarkeit entzogen. Geld und Wissenschaftlichkeit[1)] werden mit dem mystischen 'Apfel der Versuchung' in Verbindung gebracht und so dem erotischen 'Fall' analogisiert. Keineswegs teilt Arnim nach diesem Prinzip Bürger und Aristokraten als Negative und Positive ein, - es geht um die Entlarvung typischer Züge des "Geistes neuer Zeit" als Ausdruck einer mehr und mehr verteufelten Geschichte. - Zugrundeliegen dürfte dem, wie gesagt, die Empfindung existentieller Bedrohung durch die soziale Entwicklung; im folgenden soll versucht werden, dies durch eine differenziertere Darstellung der politisch-ideologischen Position Arnims zu konkretisieren.

---

1) Vgl. Heinz Härtl (Arnim und Goethe. Zum Goethe-Verhältnis der Romantik im ersten Jahrzehnt des 19. Jahrhunderts. Diss. (masch.) Halle/Saale 1971). Härtl beschreibt hier - S. 212 ff - Arnims Hang zur transrealen Determinierung im Hinblick auf seine wissenschaftlichen Ansichten - sein Unverständnis der Goetheschen Farbenlehre - und so den Widerspruch, in dem Arnim sich im Verhältnis zur Aufklärung befindet: "Fasziniert von der Mannigfaltigkeit der Fakten und Tatsachen (...) unterstellt er dem scheinbar Disparaten, unfähig, es einem reellen Konnex einzugliedern, einen ideellen Zusammenhang (...), an den (...) geglaubt werden muß. Aus der zeitgenössisch bedingten Erfahrung des Unzusammenhangs der Realien zieht er die Konsequenz ihres Zusammenhangs im Unendlichen" (214).

3
EINZELHEITEN ZUR POLITISCH-IDEOLOGISCHEN POSITION ARNIMS

... "Es ist gar keine romantische Dämmerung bei Arnim, nur Sonne und Licht und frischer Morgenwind"[1], schrieb Herma Becker 1912 in der ersten umfassenderen Untersuchung der Arnimschen politischen Publizistik. - Dieser überraschende Satz ist zweifellos eine Übertreibung, erklärt sich jedoch als Polemik gegen das reichsideologisch eingefärbte Arnim-Bild, mit dem Becker es zu tun hatte. Das realistische 19. Jahrhundert hatte Arnims romantische Tendenzen zwar als regressiv verurteilt, seine empirisch-zeitkritischen wurden jedoch durchaus auch als Ausdruck progressiven Denkens verstanden, so von Varnhagen, Immermann und Herwegh beispielsweise[2]. - Seit der Reichsgründung verfestigt sich dann allmählich die Auffassung vom bodenständigen Junker und reaktionären deutschen Tischgesellschafter, der Bismarck "vorgearbeitet"[3] habe, - welche Herma Becker im Hinblick auf den Politiker Arnim dann schon weitgehend differenziert.

Sie kommt zu dem Schluß, Arnims Ansichten seien schlecht auf einen Nenner zu bringen, auf eine Parteilinie sei er nicht festzulegen. Er war konservativ (und sei mit der Restauration aufgrund altständischer Sympathien konservativer geworden), doch sein Einsatz für Soldaten- und Bauernbefreiung (seine Bewunderung für den Freiherrn vom Stein), für die städtische Selbstverwaltung, für Geschworenengerichte und Verfassung, sowie sein praktischer Sinn für den ökonomischen Fortschritt lassen ihr den Ausdruck "frischer Morgenwind" gerechtfertigt erscheinen.

Die jüngste Arbeit über die politischen und ökonomischen Positionen Arnims[4] bestätigt, daß Herma Becker trotz einiger Fehlinterpretationen - auf zu schmaler Textbasis - im Prinzip richtig urteilte. - Knaack beschreibt Arnims politisches Bewußtsein in seiner Entwicklung von frühen Auseinandersetzungen mit dem Freiheitsbegriff Kants in Gymnasialaufsätzen über sein Engagement für die Steinschen Reformen bis zu späten Verfassungsentwürfen: eine Fixierung auf eine einheitlich

---

1) Herma Becker, Achim von Arnim in den wissenschaftlichen und politischen Strömungen seiner Zeit. Berlin und Leipzig 1912, S. 114.

2) Varnhagen von Ense, Zur Geschichtschreibung und Literatur, Hamburg 1833, S. 537-41, z.B. - Immermann, "Landhausleben", a.a.O. S. 151. Georg Herwegh, Literatur und Politik. Hsg. von Katharina Mommsen, Frankfurt 1969, S. 80-83, z.B.

3) R. Steig, in: Achim von Arnim und die ihm nahe standen. A.a.O., Bd. III, S. 384.

4) Jürgen Knaack, Die politischen Anschauungen Achim von Arnims in ihrer Entwicklung. Mit ungedruckten Texten und einem Verzeichnis sämtlicher Briefe Arnims als Anhang. Diss. (masch.) Hamburg 1973.

als progressiv oder regressiv zu beurteilende Entwicklungslinie hält auch er nicht für möglich. Arnims Konservativismus solle nicht widerlegt werden, doch er wird modifiziert aufgrund punktualen und permanenten Einsatzes (Verfassung z. B.) für fortschrittliche Tendenzen in Preußen. - Die Frage nach einer restaurativen Wende beantwortet Knaack so: indem Arnim die Freiheit von Forschung und Lehre verteidigte, Verfassung forderte (die nach englischem Vorbild schließlich modelliert wurde) und als Gegner der Karlsbader Beschlüsse war er antirestaurativ (in Preußen "persona non grata" nach Liedke)[1]. Die christlich-deutsche Tischgesellschaft sei nicht als reaktionäres Propagandainstitut sondern als Verfassungsmodell intendiert gewesen (die Entwicklung politischer Beschlüsse durch Diskussion: ein gegen die absolutistische Bürokratie gerichtetes Modell). Allerdings sei Arnim von der Restauration nicht unbeeinflußt geblieben; noch in seinen letzten Jahren entwirft er eine Adelsverfassung, die bei der Definition des Begriffs Adel das Leistungsprinzip berücksichtigt, die aristokratische Klassenhierarchie jedoch zementiert.

Ebenso wie in der Dichtung ("Realismus" gegen Phantastik) scheint es also für die politische Publizistik problematisch, den konkreten ideologischen Bezugspunkt heterogenen Verhaltens zu finden. Knaack führt dies teilweise auf Arnims Pragmatismus zurück ("sehr unsystematische, teilweise theoriefeindliche Denken Arnims")[2]; er verzichtet daher auf Kategorisierung und verifiziert Arnims Ansichten an seinen mit der sozialen Situation sich verändernden Erfahrungen: "So reagiert Arnim beispielsweise unter dem Einfluß einer konservativ-bürgerlichen Erziehung negativ auf die Ereignisse und Ideen der französischen Revolution, während er kurze Zeit später unter dem Einfluß Kants zu einem differenzierteren Urteil kommt. Dieses verändert sich angesichts der persönlichen Erfahrungen im nachrevolutionären Paris wiederum"[3], - d.h. Arnim lehnt Revolutionen als Mittel gesellschaftlicher Veränderung ab.

Trotz allem Pragmatismus rekurrieren nun allerdings die politischen Aufsätze regelmäßig auf eben die ideologischen Grundsätze, welche die dichterischen Versuche, die sozialen Gegensätze der "zerrissenen" Zeit nach romantisch-regressiven Prinzipien zu synthetisieren, ermöglichen. Pragmatismus und antirevolutionäre Haltung sind wichtige Hinweise hierfür: sie sind komplementärer Ausdruck jener sozialkritischen Hilflosigkeit, die sich aus dem organischen Geschichtsden-

---

1) Herbert R. Liedke (Hsg.): Achim von Arnim, Rezension einer Schrift von Haller: "Über die Konstitution der spanischen Cortes". 1820. In: Jb des freien deutschen Hochstiftes 1963. Einleitung und Kommentar von H. R. Liedke. S. 298 ff.

2) Jürgen Knaack, a.a.O. S. 6.

3) Ebd. S. 5.

ken, dem Anspruch auf Veränderung der Verhältnisse und dem gleichzeitigen Anspruch auf "Versöhnung von alter und neuer Zeit" verbunden mit dem Mangel eines progressiven Begriffs zur Überwindung klassenbedingter Repression ergibt.

Das wird besonders deutlich in der frühen kämpferischen Periode, als Arnim, gestützt auf den 'Volksgeist' und vermittels Einführung eines neuen Leistungsadels, Kritik der traditionellen Klassengesellschaft übt. - Der Aufsatz "Von Volksliedern" (1802) gibt mit der Kritik der elitären bürgerlichen Kultur und der Unterdrückung der Volkskunst eine ausführliche Herleitung der Entfremdung des 'Volks', also der unteren Schichten, von Staat und Gesellschaft und sieht einen wichtigen Grund hierfür in der Kommerzialisierung des Lebens. Die Schlüsse hieraus auf die Überwindung sozialer Segregation aber sind illusionistisch: die Töne einer kommenden Volkspoesie "grüßen versöhnend alle Gegensätzler unsrer Tage und heilen den großen Riß der Welt, aus dem die Hölle uns angähnt, mit ihrem Zeigefinger zusammen"[1]. Damit schlägt Sozialkritik um in romantische Schwärmerei von einer 'heilen' Welt. Das 'Volk' wird zwar bei Arnim weiterhin seine Vorbildfunktion behalten, doch nicht im Sinne von 'Demokratisierung' sondern als Paradigma von Schlichtheit, zivilisatorischer 'Unkorrumpiertheit' und so als Vermittler des "Geistes der Vorzeit". - "Das Problem sozialer Gegensätze wird von Arnim auf das Gebiet der Kultur verdrängt; ihr kommt die Aufgabe einer organischen Entwicklung zur Harmonie des Bestehenden zu"[2]. - Daß dies aus der Perspektive 'von oben' und gerade nicht aufgrund Identifikation mit den unteren Klassen gefordert wird, sieht Härtl in den Bearbeitungstendenzen, dem Ausmerzen des Derben und Zotigen, also gerade 'Volkstümlichen' der Volkslieder gespiegelt: "Die Poesie wurde gleichsam in den Adelsstand erhoben, um das, was die Stände trennt, zugunsten einer höheren, poetischen Einheit zu verwischen"[3].

Erste konkrete Vorschläge zur Umorganisierung der Gesellschaft macht Arnim zur Zeit des preußischen Zusammenbruchs (um 1806). Er zeigt sich vom Gleichheitsprinzip inspiriert, indem er fordert: "Der König erklärt das ganze Volk adelig"[4]. Oder: "Das ganze Volk muß aus einem Zustande der Unterdrückung durch den Adel zum Adel erhoben werden"[5]. Auch hier wird bereits deutlich, daß soziale Veränderung, soweit sie nicht 'organisch' sich ergeben sollte, sondern bewußtem, rationalem Handeln zugebilligt wird, immer 'von oben' gedacht wird, als Modi-

1) Von Volkslieder. dtv-Ausgabe von Des Knaben Wunderhorn. III, S. 249.

2) Knaack, a.a.O. S. 35.

3) Härtl, a.a.O. S. 109.

4) Aus der preußischen Unglückszeit. Patriotische Versuche und Vorschläge von Achim von Arnim. Mitgeteilt von Reinhold Steig. In: Deutsche Revue, 38. Jg. 3. Bd. Juli-Sept. 1913, S. 70.

5) Was soll geschehen im Glücke, a.a.O. S. 200.

fikation der herkömmlichen Klassenstruktur. Arnims Sozialkritik, auch in der Dichtung, geht es prinzipiell nicht darum, dem einzelnen die Augen für seine Position in repressiven Verhältnissen zu öffnen, sondern sie sucht ständig nach Methoden, das Klassengefüge vermittels Leistungsprinzip wieder funktionsfähig zu machen. Er wird davon überzeugt bleiben, daß der alte Adel Privilegien aufgeben muß: "... es ist erfreulich, statt des Widerspruchs und stillen Beharrens bei Rechten, deren Anwendung doch unmöglich wurde, in unserer Zeit eine Hingebung für das Ganze zu finden, der das Opfer und die Bedeutung alter Rechte oft nicht schwer erscheint"[1], schreibt er 1818. - Doch der ständische "Geist alter Zeit" ist und bleibt Leitbild. - So kann der "Geist der französischen Revolution" definiert werden: "die Unterdrückung der Staatsgewalt des Adels und der Geistlichkeit, die Bildung eines neuen Rittertums des Geistes und der Wahrheit"[2]. - "Hier wird keineswegs einer allgemeinen Gleichheit das Wort gesprochen, lediglich die alten Privilegien sollen aufgehoben werden; eine der alten ständischen Gliederung parallel laufende Erscheinung wird durch die Bildung der 'Ritterschaft' erreicht. Denn diese Ritterschaft setzt sich aus dem bisherigen Mittelstand zusammen - vier berufständische Gruppen sind in ihm vertreten: Krieger, Richter, Verwalter und Lehrer (...) Die höhere Gruppe der 'Bildenden' würde sich praktisch auf dem Lande aus den ehemaligen Rittergutsbesitzern und den Schulzen zusammensetzen. Die Vertreter der Ritterschaft sind für die 'Volksbildung' verantwortlich, wie die gesamte Ritterschaft für die Abfassung der Gesetze verantwortlich ist, die dann vom König eingesetzt werden"[3]. - Das organische Geschichtsdenken: "kein gewaltsames Drücken und Fühlen an den Früchten, ehe sie reif sind, weil viel eben dadurch nicht reif werden" (d.h. feudale Institutionen)[4] macht es offenbar möglich, die Forderung: "was die Revolution wollte, muß allgemein werden"[4] mit den genannten Methoden neuer Elitebildung zu vereinen: "Mit einem Bilde gesagt, jene neuere Zeit ist die Chirurgie zur Besserung der Welt, jene ältere die Medizin"[4].

Die ausführliche Darstellung dieser frühen Vorstellungen zur Umwandlung der sozialen Verhältnisse ist deshalb gerechtfertigt, da sie paradigmatisch sind für Arnims weitere Entwicklung: wie er in seinen idealen Frauengestalten gewissermaßen Paradies und Gesellschaftlichkeit, Lust und Unschuld, 'Harmonie' alter Zeit und 'Verstand' als Symptom der neuen synthetisiert, so will er auch im Politischen immer "Versöhnung" des Unvereinbaren, will Fortschritt und Beharrung,

---

1) Ludwig Achim von Arnim. Unbekannte Aufsätze und Gedichte. Mit einem Anhang von Clemens Brentano. Hsg. von Ludwig Geiger, Berlin 1892, S. 100.
2) Was soll geschehen im Glücke, a.a.O. S. 199.
3) Knaack, a.a.O. S. 25.
4) Was soll geschehen im Glücke, a.a.O. S. 200.

mit dem Resultat, daß er sich auf der Stelle dreht. - In der "Gräfin Dolores", seinem Zeitroman von 1810, werden dann die ideologischen Folgen dieser frühen Erfahrungen ins System gesetzt: vom Grafen Karl, der politische Vorstellungen wie der junge Arnim vertritt, distanziert sich der Autor jetzt, - alle Welt zu adeln sei ein Widerspruch in sich. Karl muß lernen, Revolutionäre als die typischen "widrigen Menschen" zu durchschauen, welche den Weltlauf vergewaltigen, und er muß weiter lernen, das "Bestehende" "gut" zu deuten. Der Roman sucht nach einer mittleren Position zwischen Altem und Neuem, und er findet sie im "sittlichen" Ausgleich der Stände und in der mythischen Überhöhung des Mütterlich-Irdischen, demgegenüber der aufklärerische, sozusagen soziologische Widerspruch verteufelt wird; d.h. die Utopie zieht sich auf 'ewige' Positionen zurück, - auf einen Begriff naturwüchsigen Produzierens, der schließlich den "Geist alter Zeit" ins Absolute erhebt, ohne daß deswegen das "Feudalwesen" als Basis der Gesellschaft konkret propagiert zu werden brauchte.

In der Novellensammlung von 1812 und auch in "Die Kronenwächter" von 1817 werden die resignativen Folgen dieses Denkens überklar: die moderne Welt wird vom 'Geld' beherrscht und dagegen weicht gewissermaßen die Utopie vom Mütterlich-Irdischen in den romantisch-unverbindlichen Traum zurück.

"Die Zerstörung kommt von der Tätigkeit, die sich von der Erde ablenkt und sie noch zu verstehen meint" (I, 517), schreibt Arnim programmatisch in der Einleitung zu den "Kronenwächtern" (1817). Über den politischen Inhalt dieses Satzes gibt seine Auseinandersetzung mit dem Restaurator Haller nähere Auskunft. In entscheidenden Grundsätzen stimmt Arnim mit Hallers "Restauration der Staatswissenschaft" überein: "Sieht Haller das Wesen der Staaten-Entstehung aus der Natur des Familien-Lebens - welches das Geistige auf Erden ist, und aus der Natur des Grundbesitzes, welches das Körperliche ist, das dem Geiste unterworfen - mit einer Deutlichkeit ein wie kein anderer Schriftsteller; zeigt er hier die Einwirkung der Eroberung und der Geistesüberlegenheit und wie doch jede Art der Gewalt zu ihrem Bestehen nach dem Ursprunge des Staats, zu dem Grund-Eigentum trachten muß - lauter Wahrheiten ..."[1] -. Dagegen kritisiert er Haller scharf wegen seiner Stumpfheit für alle notwendigen Veränderungen. Haller sei ein für die Praxis blinder Stubengelehrter, in dessen Kopf durch Erzählungen angeberischer Reisender "ein Bild der Welt, wie diese nie bestanden hat" sich bilde[2]. So komme es, daß Haller "ein Bestehen den Staaten sichern" möchte, "wie es in der ruhigsten Familie sich nicht bewahren läßt. Alles soll sich sehr leicht

1) Unbekannte Aufsätze, a.a.O. S.42.

2) Rezension einer Schrift von Haller: "Die Konstitution der spanischen Cortes". Zitiert nach: Die andere Romantik, hsg. von H. Schanze, Frankfurt 1967, S.166.

machen (...) wo nun die Welt in Gegensätzen auseinander gerissen: wo will er da den Kraftsammler finden, der den unaufhaltsam hinunter rollenden Wagen wieder den Berg hinaufbringt: daß nur von Neuem eine klare Übersicht gewonnen werden kann? (...) Es bleibt bei dem Satz: Non hominum consiliis pax reparatur in orbe"[1]. - Auch hier wird wieder deutlich: eine Zwischenposition zwischen Fortschritt und Regression wird gesucht, - der Anspruch wird pragmatisch verteidigt und - durch mythische Überhöhung des Feudalen abgesichert. Im Kontext Arnimschen Pessimismus ist auch der "hinunter rollende Wagen" (der Geschichte) durchaus wörtlich zu nehmen: es geht bergab mit Deutschland ...

Der Pragmatismus und das Versöhnungsmodell Arnims lassen sich im Hinblick auf die Unentwickeltheit des preußischen Bürgertums durchaus verteidigen. Sagt er, "Feudal-Formen" seien die Basis, "ohne welche die wesentliche Wirkung: den Geist des Augenblicks mit Vergangenheit und Zukunft zu verknüpfen, nicht erreicht werden kann"[2]; oder bringt er Wahlfähigkeit und Grundbesitz in Zusammenhang "in einer Zeit (...), wo die ungeheuerlichste Beweglichkeit alles Kapital-Vermögens die Menschen zu Flüchtlingen über die Erde gemacht hat"[3], so trifft er konkrete Schwierigkeiten der sozialen Situation. - Mit der vorliegenden Übersicht über politisch-ideologische Äußerungen Arnims soll nun keineswegs ein historisch gesichertes Urteil behauptet werden; es geht darum, aus dem Nebeneinander konservativer und progressiver Tendenzen den ideologischen Bezugspunkt abzulösen, von dem aus die 'abwehrmechanistischen' moralistischen Kategorien (Groteske u.a.) der Dichtung sowie ihre Mythisierungstendenzen (vermittels romantischen Symbolismus und Formen des Phantastischen) als Ausdruck der Abwehr einer als existentiell empfundenen Bedrohung durch den "Geist neuer Zeit" ebenso wie durch die radikale Reaktion zu bestimmen sind. Arnims Modell der "Versöhnung des Geistes alter und neuer Zeit" impliziert die Mythisierung feudal-'heilen' Bewußtseins, welche die Romantisierung der in der Dichtung empirisch fixierten sozialen Widersprüche zur Folge hat. Sein Pragmatismus und Evolutionismus bedeuten aber auch Verurteilung reaktionärer 'Blindheit' und eine differenzierte Einschätzung der Romantik, die sich als dichterische Kritik von 'Verinnerlichungskunst' auswirkt. - Die von der älteren Kritik einer ausschweifenden Phantasie angelasteten Phantasmen und moralistischen Verfremdungstechniken Arnims und der durch sie entstehende 'Widerspruch' zu seinem 'Realismus' werden hier also als Mittel der ideologischen Bewältigung und als Ausdruck der komplizierten sozialen Situation des Intellektuellen, Gutsbesitzers und Landwirts Arnim zwischen Feudalismus und Bürgertum dargestellt.

1) Unbekannte Aufsätze, a.a.O. S.43.

2) ebd. S.41.

3) ebd. S.115.

I. BEISPIELE UMFUNKTIONIERTER ROMANTISCHER ERKENNTNISSYMBOLIK AUS "DIE GRÄFIN DOLORES" (1810)

1. DAS BERGWERK ALS ORT KÜNSTLERISCHER ERKENNTNIS BEI NOVALIS, TIECK, ARNIM UND HOFFMANN

In der "Gräfin Dolores" von 1810 wird ein junger Dichter aufgefordert, "etwas mitzuteilen, etwa eine Geschichte, worin die Verschiedenheit des Alters in Freundschaft, Haß, Liebe recht wunderlich zwischenträte". - Er versichert, "daß er nach einer sonderbaren Bergwerksgeschichte eine ebenso sonderbare Ballade geschrieben, die er hersagen könne" (I, 460).[1]

Diese "sonderbare Bergwerksgeschichte" ist die des Bergmanns von Falun, die auch Hebel im "Schatzkästlein" erzählt, die Hoffmann seinen "Bergwerken zu Falun" zugrundelegt und später Hofmannsthal seinem Drama "Das Bergwerk zu Falun". Der Stoff wurde in Deutschland bekannt durch G. H. Schubert, der 1808 in Kleists und Adam Müllers Zeitschrift "Phöbus" einen schwedischen Bericht von einem aus einem verschütteten Bergwerksschacht herausgegrabenen jungen Bergmann veröffentlichte[2]. Dieser Bergmann hatte wohl fünfzig Jahre unter der Erde gelegen und war, weil er von Eisenvitriol durchtränkt war, vollkommen unbeschädigt und sah wie eben eingeschlafen aus. Als man noch rätselte, wer es gewesen sein könne, "da kömmt an Krücken und mit grauem Haar ein altes Mütterchen, mit Thränen über den geliebten Todten, der ihr verlobter Bräutigam gewesen, hinsinkend (...), und das Volk sahe mit Verwunderung die Wiedervereinigung dieses seltnen Paares (...), und wie bei der fünfzigjährigen goldnen Hochzeit, der noch jugendliche Bräutigam starr und kalt, die alte und graue Braut voll warmer Liebe gefunden wurde".

In Arnims Ballade "Des ersten Bergmanns ewige Jugend" (I, 460-65) verliebt sich ein Knabe in den "dunklen Feuerschimmer" auf dem "wilden Angesicht" der "Königin" in der "Unterwelt", das ihm aus einem Brunnen entgegenspiegelt. Er folgt ihr hinab, - wird ein "kühner Hauer", - die Königin "zeigt ihm ihrer A d e r n Gold", das er den Eltern abliefert. Während eines Festes oben sehnt er sich zu-

---

1) Band und Seitenzahlen im Text beziehen sich auf: Achim von Arnim, Sämtliche Romane und Erzählungen. 3 Bde., hsg. von Walther Migge, München 1962-65.

2) Zitiert nach: Werner Vordtriede, Novalis und die französischen Symbolisten. Zur Entstehungsgeschichte des dichterischen Symbols. Stuttgart 1963, S. 49 - 50.

rück, denn "in dem Knaben aufwärts wallten, / So Licht als Liebe herzlich warm". Er verläßt die Königin, nimmt am Tanz teil, trinkt und verliebt sich, verspricht aber unter den Drohungen der "Brüder": "morgen (...) wieder Stufen" zu holen und steigt abends "so nach Gewohnheit" wieder hinab. Doch: "Die Lieb ist aus, das Haus geschlossen / Im Schacht der reichen Königin; (...) Die Eifersücht'ge hört ihn rufen, / Sie leuchtet nicht, er stürzt hinab"...

Bei Hoffmann steigt der junge Bergmann, der in den Bann der Königin geraten ist, frühmorgens vor seiner Hochzeit noch einmal hinab, weil er im Traum erfahren hat, wo der "kirschrot funkelnde Almadin liegt, auf den unsere Lebenstafel eingegraben", und den er der Braut zum Hochzeitsgeschenk machen müsse[1]. Er kehrt natürlich nicht mehr zurück.

In beiden Fällen wird also "der noch jugendliche Bräutigam starr und kalt, die alte und graue Braut voll warmer Liebe", nicht etwa aus der Habgier des Bergmanns, sondern aus einem Widerspruch zwischen dem gesellschaftlichen Leben und natürlichen Neigungen einerseits und einer geistigen, gefährlichen (weil lebensfremden) Tendenz andererseits erklärt. "Mag nicht Rubin, nicht Goldgeflimmer (...) Ich mag den dunklen Feuerschimmer von deinem wilden Angesicht", heißt es bei Arnim, und die Königin rührt des Knaben "Sehnsucht nach der Unterwelt". - Hoffmanns Elis Fröbom sucht die "Herrlichkeit der unterirdischen Welt", von der er voller Sehnsucht träumt, ebenfalls nicht um des Gewinns willen, sondern weil ihn ein "mächtiger Zauber", der ihm schon "zur frühsten Knabenzeit in seltsamen geheimnisvollen Ahnungen aufgegangen", gefangen hält in diesem "paradiesischen Gefilde der herrlichsten Metallbäume und Pflanzen, an denen wie Früchte, Blüten und Blumen feuerstrahlende Steine hingen". Es geht um "Höheres" (so wird er von einem alten Fremden, dem Geist eines verstorbenen Bergmanns, der ihm diese Welt aufschließt, belehrt); um uralte Geheimnisse, Schönheit und eine 'höhere' Art von Liebe ("jungfräuliche Gestalten, die sich mit weißen glänzenden Armen umschlungen hielten, und aus ihren Herzen sproßten" jene metallenen Bäume und Pflanzen empor, - mischen sich ebenfalls in Fröboms Träume); - kurz, es geht um das Bergwerk als symbolistisches künstliches Paradies[2], wie es seit Novalis' "Heinrich von Ofterdingen" als Ort künstlerischer

---

1) E.T.A. Hoffmann, Werke, hsg. von Hans Mayer, Frankfurt 1967, Bd. II, S. 269-295.

2) Zur Tradition des Symbolkomplexes (Gesteinsmystik, Zusammenhang mit dem Unterreich der griechischen Mythologie, dem Proserpinamythos, mit der Liebesgrotte Tristans usf.) und seiner psychologischen,naturphilosophischen, historischen Bedeutung (Ort der "Vorzeit" als Urzeit einer noch nicht erstarrten, von göttlichem Geist belebten Natur und als Ort des Innern) vgl. u.a. Werner Vordtriede, Novalis und die französ. Symbolisten.

Erkenntnis und Selbsterkenntnis Bestandteil der romantischen Mythologie ist.

Die entscheidenden Bestandteile dieses zauberhaften Bergwerks sind weder bei Arnim noch bei Hoffmann originär. Abgesehen von den Märchen und Sagenmotiven, die dem Symbolkomplex zugrundeliegen, hat in der 'hohen' Literatur die verführerische "Königin" beispielsweise eine Vorgängerin in dem wunderbaren "Waldweib" in Tiecks "Runenberg"[1], das der junge Jäger in uralten "Ruinen" im wildesten Gebirge belauscht, - in einem Saal, "der wunderlich verziert von mancherlei Gesteinen und Kristallen in vielfältigen Schimmern funkelte". Sie reicht ihm eine "Tafel heraus, die von vielen eingelegten Steinen, Rubinen, Diamanten und allen Juwelen glänzte", eine "magische steinerne Tafel", welche eine Figur bildet, "die unsichtbar sogleich in sein Inneres überging". - Diese Tafel ist der "funkelnde Almadin" Hoffmanns, dessen künstliches Paradies im Unterreich sonst bis in Einzelheiten mit dem im "Ofterdingen" übereinstimmt ("In den zierlichen Locken und Ästen des Silbers hingen glänzende, rubinrote, durchsichtige Früchte, und die schweren Bäumchen standen auf kristallenem Grunde"[2]. Auch der geisterhafte Alte oder Fremde, der Erfahrungen aus alter Zeit vermittelt, ist eine Novalissche Gestalt. Er gibt den Anstoß zur Entdeckung des Unterreichs und weist darauf hin, daß es sich hier um vergessene, wiederzuentdeckende Wunder einer früheren Zeit handelt, die Analogie der Kindheit ist: der Knabe bei Arnim folgt einem Kindheitstraum, wie die Bergleute Hoffmanns und Tiecks. Die erotische Symbolik, unentbehrlich als Motivation, ist ebenfalls im "Ofterdingen" (der ja vor Schuberts Bericht über Falun erschien) vorgeprägt.

Die Beurteilung des Unterreichs, - oder besser seiner Bedeutung für die Relationen von sozialer Welt und Kunstwelt ist bei den genannten Autoren unterschiedlich. Novalis beurteilt es ungeteilt positiv; bei Tieck und Hoffmann ist die zauberhafte Bergwelt von gefährlichen dämonischen Mächten beherrscht, die denjenigen, den sie in ihren Bann schlagen, in den Wahnsinn treiben. Arnim rationalisiert dann das Dämonische als Ausdruck unnatürlicher Neigungen und intellektueller Passivität. Um diese Perspektivverschiebungen deutlich machen zu können, soll zunächst der Novalissche Standpunkt rekapituliert werden, von dem aus die weitere Bedeutung der romantischen Unterreichsymbolik sich am einfachsten erklären läßt.

Im "Heinrich von Ofterdingen" (d e m Bildungsroman des idealistischen Künstlers) ist das Unterreich Ort der Selbsterkenntnis und der Vermittlung entscheiden-

---

1) Ludwig Tieck, Die Märchen aus dem Phantasus, Dramen. Hsg. von Marianne Thalmann. Darmstadt 1968, S. 61-82.

2) Novalis, Werke, Briefe, Dokumente. Hsg. von E. Wasmuth, 4 Bde. Heidelberg 1953-57. Bd. I, Die Dichtungen S. 104 (aus dieser Ausgabe wird im folgenden zitiert; die Seitenzahlen im Text).

der künstlerischer Einsichten, - in psychologischer, geschichts- und naturphilosophischer Hinsicht. Der Absteig ins Berginnere symbolisiert den 'Weg nach Innen' als Weg der Erfahrung "himmlische(r) Weisheit" in wunderbaren "alten Zeiten" (34), und zwar als Vorgang der Bewußtwerdung eines im Unbewußten immer schon vorhandenen Wissens, das als "Ahnung" im Heraufdämmern begriffen ist (die Heinrich zum Dichter qualifiziert). Bemerkungen der Art: "Es ist mir, als würde ich manches besser verstehen, was jetzt nur dunkle Ahnung in mir ist" (34); oder: "Mir ist auf einmal, als hätte ich irgendwo schon davon in meiner tiefsten Jugend reden hören" (36) sind häufig, wenn Heinrich von dem Beruf der Dichter erfährt. - Die Berg- und Unterwelt, mit der man auf den ersten Seiten des Romans bekannt gemacht wird in Heinrichs Traum, - der von dem "Fremden" (15) durch seinen Bericht von der blauen Blume erregt wird -, erscheint wie bei Tieck, Arnim und Hoffmann als erotischer Topos, mit seinen bemoosten Steinen, aufragenden Klippen, der Höhle mit feuchten Wänden und bläulichem Licht, dem Wasserbecken, goldenem Wasserstrahl und schließlich dem paradiesischen Garten, in dem er die blaue Blume findet. - Erotische und ästhetische Sensationen sind auch hier nicht trennbar, - doch erfährt man bei Novalis den Grund dafür. Die blaue Blume steht für die Wunder im Reich der Kunst oder des Innern überhaupt, und mit ihrer 'realen' Entdeckung - der Mathildes - ist Heinrichs Bildungsgang auf seinem ersten Höhepunkt angelangt; nun ist er reif, von Klingsohr sozusagen in die Gilde der Dichter aufgenommen zu werden. Das entscheidende Wunder, das in der und durch die Kunst aufgehen soll, ist die Lebenstotalität einer vergangenen "Goldenen Zeit"[1], die sich als "Sympathien" zwischen Menschen, Tieren und Elementen darstellt, und mit deren Erinnerung zugleich mit der der blauen Blume Heinrich in seinen ersten Traum hinübergleitet: "Ich hörte einst von alten Zeiten reden; wie da Tiere und Bäume und Felsen mit den Menschen gesprochen hätten" (16). Diese Zeit wird beherrscht von "Liebe und Poesie" (56); - die von der wunderbaren Natur in den Höhlen der blauen Blume erregten erotischen Erlebnisse öffnen also Heinrich für das Wunder dieser "Sympathien" und sind so der erste Schritt zur Erkenntnis seiner dichterischen Aufgaben (noch im Traum, der aber den zu gehenden Weg angibt). - Über diese erfährt er dann auf seiner Reise nach Augsburg Genaueres, womit auch die Unterreich-Symbolik genauere Konturen erhält. - In den Erzählungen von Dichtern werden deren "Geheimnisse" (34) und die der "goldnen Zeit" behandelt, und als Leistung

---

1) Vgl. z.B. H.-J. Mähl, Die Idee des goldenen Zeitalters im Werk des Novalis. Studien zur Wesensbestimmung der frühromantischen Utopie und ihren ideengeschichtlichen Voraussetzungen, Heidelberg 1965. Und: H.-J. Heiner, Das "goldene Zeitalter" in der deut. Romantik, Zur sozialpsychologischen Funktion eines Topos, ZdPh 91, 1972. Hier geht es vor allem um den Kompensationsschrakter der Idee.

dieser Dichter wird keine andere reflektiert, als die Bedingungen der "Sympathien" zu erkennen, zu besingen und so die Wiederkunft der goldenen Zeit durch die Fixierung ihrer Erkenntnis vorzubereiten. Dichtung handelt von "dem Ursprunge der Welt, von der Entstehung der Gestirne, der Pflanzen, Tiere und Menschen, von der allmächtigen Sympathie der Natur, von der uralten goldenen Zeit und ihren Beherrscherinnen, der Liebe und Poesie, von der Erscheinung des Hasses und der Barbarei und ihren Kämpfen mit jenen wohltätigen Göttinnen, und endlich von dem zukünftigen Triumpf der letzteren, dem Ende der Trübsale, der Verjüngung der Natur und der Wiederkehr eines ewigen goldenen Zeitalters" (56). Den Dichtern fällt diese reformistisch-prophetische Aufgabe natürlicherweise zu, denn es waren Dichter, die kraft "wunderbarer Werkzeuge" das Chaos geordnet haben, die "den toten Pflanzensamen erregt und blühende Gärten hervorgerufen", die wilde Tiere und Menschen gezähmt und ihnen "Ordnung und Sitte gewöhnt, sanfte Neigungen und Künste des Friedens in ihnen rege gemacht", die Flüsse reguliert und "selbst die totesten Steine in regelmäßige tanzende Bewegungen hingerissen haben", worauf die "sonderbaren Sympathien und Ordnungen in die Natur gekommen" seien (von denen in der eisernen Gegenwart nichts mehr zu bemerken ist). Damals seien die Dichter "zugleich Wahrsager und Priester, Gesetzgeber und Ärzte gewesen", und sie haben "selbst die höheren Wesen" bezaubern und sie in "den Geheimnissen der Zukunft" unterrichten können (37). - Und Zauberer sind die Dichter noch immer, denn "magische Gewalt üben die Sprüche der Dichter aus" (36). Es ist also die ursprüngliche und natürliche Leistung des Dichters, die Natur magisch zu beherrschen und zu verwandeln im Sinne der "Sympathien"; und daran, daß dies auch die Aufgabe gegenwärtiger und künftiger Kunst ist und so auch für Heinrich gilt, läßt nicht nur die Ausschließlichkeit dieser Reflexionen keinen Zweifel, sondern der Erzähler faßt, als Heinrich bei Klingsohr und Mathilde angekommen ist, zusammen: "Es sind die Dichter, diese seltenen Zugmenschen, die (...) überall den alten ehrwürdigen Dienst der Menschheit und ihrer ersten Götter, der Gestirne, des Frühlings, der Liebe, des Glücks, der Fruchtbarkeit, der Gesundheit und des Frohsinns erneuern; sie, die schon hier im Besitz der himmlischen Ruhe sind (...) Heinrich war von Natur zum Dichter geboren" (111).

Nachdem ihn die Liebe für das Wunder der "Sympathien" aufgeschlossen hat, muß Heinrich zweierlei durchschauen lernen: die Geheimnisse der Natur, - ihre Geschichte und analog die der Menschen, und zwar um ihre Gesetze magisch beherrschen zu können. Erst dann kann er sich seiner Bestimmung, die als Ahnung in ihm, der ja zum Dichter geboren ist, liegt, bewußt werden. Ort dieser Selbst- und Welterkenntnis ist das Bergwerksreich, das ihm der Bergmann aufschließt. Dort begegnet ihm der Einsiedler, der Graf von Hohenzollern, in dessen Gestalt, wie Klingsohr zusammenfaßt, ihm "die Natur und Geschichte" erschienen sind, - nachdem ihm das "Land der Poesie, das romantische Morgenland" in der Gestalt der Morgenländerin Zulima begegnet ist und der "Krieg" in "seiner wilden Herrlichkeit" ihn in der Gestalt der Ritter angeredet habe (132). - Im Unterreich also werden die Mächte des Ursprungs erfahren, die Gewalt über die Zukunft erlangen sollen: "Wie aus tiefen Höhlen steigen alte und künftige Zeiten" (35). - In dem "Schoße der Felsen" ist ein "Sinnbild des menschlichen Lebens verborgen" (83). Den Bergmann (der Heinrich ins Unterreich einführt und so als Entdecker der in den Tiefen verborgenen Wahrheit mit dem Dichter übereinstimmt) interessiert natürlich nicht der Gewinn, die "metallischen Mächte" vermögen "nichts über sein lautres Herz. Unentzündet von gefährlichem Wahnsinn freut er sich" (81). In den "schauerlichen Tiefen" blüht ihm "das köstliche Gewächs", das "wahrhafte Vertrauen zum himmlischen Vater". Er ist "einzig von Wißbegier und Liebe zur Eintracht beseelt" (82-83). Und er ist dem Ursprung nahe durch die "kindliche Stimmung, in der ihm alles mit seinem eigentümlichsten Geiste und in seiner ursprünglichen bunten Wunderbarkeit erscheint" (82). - Die nähere Bestimmung dieser unterirdischen "Sinnbilder des menschlichen Lebens", welche "die mächtigen Geschichten / Der längst verfloßnen Zeit" (85) erzählen, ergibt sich bekanntlich aus der Fichtesch-Novalisschen transzendentalen Bestimmung der Natur: "Die im natürlichen Bewußtsein erscheinende, von den Naturwissenschaften erforschte Natur, durch Fichte als Produkt transzendentaler Operationen einsichtig gemacht, ist, so erklärt Novalis, 'eine versteinerte Zauberstadt'. Sie ist der ins Gegenständliche verzauberte, stillgestellte Geist (...) Die Natur, der verzauberte Geist, bedarf eines Wortes, das die Kraft hat, den Zauber zu brechen und die Natur in ihr wahres Wesen zu befreien. Dieses (...) Wort ist das dichterische Wort"[1]. Und die historische Bestimmung dieses zu erlösenden Geistes ist eben der Geist der "goldenen Zeit", für den die Gegenstände der Natur "Chiffren" sind (wie in den "Lehrlingen zu Sais" ausführlich abgehandelt wird), was freilich nur die Dichter begreifen können: "Alles finden sie in der Natur. Ihnen allein bleibt die Seele derselben nicht fremd, und sie suchen in ihrem Umfang alle Seligkeiten der goldnen Zeit nicht umsonst" (262). - Nachdem Ofterdingen so viel erfahren hat, kann er endlich realiter ins Bergwerkreich einsteigen, - in die Höhle des Einsiedlers. Beim Eintritt wird ein weiterer Schritt der Bewußtwerdung des in den Tiefen des Unbewußten Verborgenen schon angedeutet, und sie erhält im Vorbeigehn auch eine christlich-heilsgeschichtliche Bedeutung: "Die Worte des Alten hatten eine versteckte Tapetentür in ihm geöffnet. Er sah ein kleines Wohnzimmer dicht an einen erhabenen Münster gebaut, aus dessen steinernem Boden die ernste Vorwelt emporstieg, während von der Kuppel die klare fröhliche Zukunft in goldnen Engelsbildern ihr singend entgegenschwebte. (...) Nun übersah er auf einmal alle seine Verhältnisse mit der weiten Welt um ihn her; fühlte, was er durch sie geworden und was sie ihm werden würde" (90).

---

1) Karl Heinz Volkmann-Schluck, Novalis' magischer Idealismus. In: Die deutsche Romantik, hsg. von Hans Steffen, Göttingen 1967, S. 46-47.

Beim Einsiedler unten wird dies dann konkretisiert vermittels eines Buches, das in einer "fremden Sprache" geschrieben ist, aber bei näherem Zusehn seine ganze Lebensgeschichte enthält, - Vergangenheit, Gegenwart und Zukunft in Bildern, die Heinrich wiedererkennt und erkennt, nur die "letzten Bilder waren dunkel und unverständlich" (108). "Das ist das Buch der Dichtung, der Erinnerung und gleichzeitig der verklärten Zukunft. Durch sein hohes Alter reicht es bis in die 'Vorzeit' zurück (...) es ist das Buch schlechthin (...). Damit wird es auch zum Schicksalsbuch des Dichters, der sich in den Bildern jeweils selbst zu erkennen glaubt. Es ist das Buch seines Unbewußtseins, das seine Seelenbilder enthält"[1]. Mit Hohenzollerns Worten ist es ein "Roman von den wunderbaren Schicksalen eines Dichters, worin die Dichtkunst in ihren mannigfachen Verhältnissen dargestellt und gepriesen wird" (108), ein Ur-Heinrich also wohl, mit dessen Rezeption Heinrichs Bestimmung fixiert ist.

Bevor dieser entscheidende Erkenntnisakt vollzogen werden kann, muß Heinrich noch über die Methoden der Geschichtserfassung aufgeklärt werden. Ein "Geschichtsschreiber", lernt er, müsse "notwendig auch ein Dichter sein", denn nur die Dichter verständen "jene Kunst, Begebenheiten schicklich zu verknüpfen", und es sei "mehr Wahrheit in ihren Märchen als in gelehrten Chroniken". Es gehe um die "Anschauung der großen einfachen Seele der Zeiterscheinungen", nicht um die "zufällige Existenz ihrer äußeren Figuren" (100). - Da das Märchen bei Novalis ein intuitiv-magischer Bereich ist, wird die Erfassung dieser "Seele" auch nur intuitiv möglich, womit wiederum eine Ahnung des jungen Heinrich bestätigt wird: "mich dünkt, ich sähe zwei Wege, um zur Wissenschaft der menschlichen Geschichte zu gelangen. Der eine, mühsam und unabsehlich, mit unzühligen Krümmungen, der Weg der Erfahrung; der andere, fast ein Sprung nur, der Weg der innern Betrachtung" (33). Heinrichs Weg ist der "andere", denn es ist das Wissen des Unbewußten, die "Ahndungen", denen man vertrauen muß: "Sie sind die Engel, die uns hier sicher geleiten" (109). - Zweck der Geschichtsschreibung ist "die geheime Verkettung des Ehemaligen und Künftigen" und, "die Geschichte aus Hoffnung und Erinnerung" zusammensetzen zu können. "Indes nur dem, welchem die ganze Vorzeit gegenwärtig ist, mag es gelingen, die einfache Regel der Geschichte zu entdecken". Sie ist erst dem "reiferen Alter" als eine "himmlische tröstende und erbauende Freundin" verständlich. "Die Kirche ist das Wohnhaus der Geschichte, und der stille Hof ihr sinnbildlicher Blumengarten" (97-98). Nur "gottesfürchtige Leute" sollen Geschichte schreiben, - nicht "finster und trübe", sondern so, daß sie "heiliger Geist" erleuchte (98).

So treten also Eros als Erlebnis der "Sympathien"; die Anschauung der "Erde", die "Denkmale der Urwelt zeigt" (101; Geschichtsschreibung als "geheime Verkettung des Ehemaligen und Künftigen" mit christlicher Frömmigkeit als Phan-

1) Werner Vordtriede, a.a.O. S. 129

tasiekräfte der Poesie vom goldenen Zeitalter zusammen. Der Vorgang ist ein 'innerer' - das Unterreich ein Ort ausschließlich innerer Sensationen -, da seine historisch-kritische Konkretisierung durch die Definition von Geschichte als unbewußt vermittelt und religiös-zweckgerichtet abgeschnitten wird. Das ist die Grundvoraussetzung des "magischen Idealismus", der die Vergegenwärtigung der "goldenen Vorzeit" und ihrer "Sympathien" im Erlösungsmärchen kraft symbolisierter Metaphysik [1] des Wirklichen als "Kanon der Poesie" erklärt.

2. FUNKTIONSWANDEL DER BERGWERKSSYMBOLIK

"Wo sich Wahrheit der Phantasie und Wahrheit des Verstandes begegnet, da ist das höchste menschliche Gefühl, wir nennen das Religion (...), der Mensch, der sich immerdar in der Berührung von Phantasie und Verstand aufhalten wollte, ohne jene beiden Kräfte selbst zu achten und erkennen zu wollen, würde bald in einer vollkommenen Nichtigkeit versinken, worüber religiöse Gemüther gewisser Zeiten (Süßianer, Zinzendorfianer...) so häufig bis zur Gottlosigkeit klagen. Die Tugend liegt nur in der Vereinigung des religiösen innern Menschen mit der äußern Welt, bloße Verstandes-, bloße Phantasietugend ist leer" (Arnim an Grimm, Nov. 1812, Steig III, S. 242-43). - In der Erzählung "Melück Maria Blainville, die Hausprophetin aus Arabien" (1812) kommentiert der Autor eine idyllische Familienszene: "wir wünschten mit diesem Bilde der Unschuld die Geschichte schließen zu können: die Geschichte begnügt sich aber nicht mit schönen Bildern des Glücks" (II, 576).

Diese beiden Sätze beschreiben eine künstlerische Haltung, die von der des Novalis in mancher Hinsicht abweicht. Die Vermittlung des Historischen durch "innere Betrachtung" wäre nach Arnim "leer"; der künstlerische Erkenntnisprozeß soll von den Widersprüchen der historischen Realität ausgehen und diese Widersprüche darstellen; Erkenntnis entsteht in der Dialektik von praktischer Erfahrung und Ich oder Phantasie: "Nun weiß ich, daß ich nichts gedacht / Seitdem ich nichts getan (...) Das i n n r e Leben ward nicht mein, / Seit ich das ä u ß r e mied" (III, 146) dichtet ein zur Einsicht gekommener Bergmann in "Die Kirchenordnung" von 1822. - Bereits in der 1810 veröffentlichten Ballade "Des ersten Bergmanns ewige Jugend" (I, 460-65) erweisen sich dementsprechend die Entzückungen in den Armen der "Königin" des Unterreichs der Kunst oder der dich-

---

1) Im Hinblick auf "die gnostische Funktion und den metaphysischen Hintergrund des romantischen Symbolbegriffs" vgl. H. A n t o n , Romantische Deutung griech. Mythologie. In: Die deut. Ro., hsg. von H. Steffen, a.a.O., S. 277-288. Zitat S. 248.

terischen 'Innenwelt' als sinnlos. - Als der junge Bergmann das Fest oben hört, da "kann die Kön'gin ihn nicht halten, / Mit irdisch kaltem Todesarm, / Denn in dem Knaben aufwärts wallten / So Licht als Liebe herzlich warm". Damit wird die Novalissche Trinität von Eros, innerer Geschichtserfassung und Naturbetrachtung als Voraussetzung künstlerischer Leistung gesprengt, und ihre einzelnen Elemente verlieren ihre entwicklungsgeschichtliche Funktion. Magische Kräfte erwachsen dem Arnimschen Bergmann nicht; die Liebe zur Königin wird nicht einmal so ernst genommen, daß sie in den Wahnsinn führen könnte, - so wie Tiecks und Hoffmanns Figuren sich im Dualismus von Innen und Außen, Ober- und Unterwelt, menschlicher und geistiger Liebe aufzehren. Als der junge Jäger Christian im "Runenberg" heiratet, sagt er: "Nein, nicht jenes Bild bist du, welches mich einst im Traum entzückte und das ich niemals ganz vergessen kann, aber doch bin ich glücklich in deiner Nähe und selig in deinen Armen" (71), was freilich nicht lange vorhält. - E. T. A. Hoffmann treibt diese Haltung ins Schizophrene: "er mußte sich, auf die Oberfläche hinaufgestiegen (...) auf seine Ulla besinnen, er fühlte sich wie in zwei Hälften geteilt, es war ihm, als stiege sein besseres, sein eigentliches Ich hinab in den Mittelpunkt der Erdkugel und ruhe aus in den Armen der Königin, während er in Falun sein düsteres Lager suche" (291). - Bei Arnim ist die glänzende goldene und edelsteinerne Kunstwelt für den Knaben in dem Augenblick, wo er die Liebe wirklich erlebt, tot. Er hat sich sattgesehen, geistig verändert aber ist er nicht, - nach dem Fest oben steigt er "so nach Gewohnheit" wieder hinab, seine Erfahrung hat sich erschöpft im Genuß. Das "innere" Kunstreich ist als einziger Faktor künstlerischer Produktivität funktionslos.

Fungibel dagegen ist es als Moment der Definition des Künstlers als ein auf soziale Relationen angewiesenes Wesen. Auch Tieck legt Wert auf soziale Implikationen der 'Verfallenheit' an die "Nachtseiten" der Romantik, insofern er die Goldsymbolik entprivatisiert. Als Christian zur Bergkönigin oder dem "Waldweib" zurückkehrt, verelendet seine Familie, und zwar deshalb, weil auf dem Gold, durch das sie reich geworden war, ein Fluch liegt. Dieses Gold hatte Christian von eben dem seltsamen Fremden erhalten, der ihn zum ersten Mal versucht hatte, in die Regionen des Waldweibs einzudringen, - und der ihn ein zweites Mal, als er bereits Familie und Hof hat, durch eben dieses Gold versucht, indem er es ihm als eine Art Kredit hinterläßt, den er anwenden dürfe, wenn der Fremde nach einer bestimmten Zeit nicht wiederkomme. Die Zinsen, die Christian entrichten muß, sind die Erinnerungen an das wunderschöne Waldweib, die das Gold auffrischt und wachhält. Er investiert es, alles schlägt ihm zum Wohlstand aus, aber - nichts freut ihn mehr, die "Sehnsucht nach der Unterwelt" (wie es von Arnims Bergmann heißt) wächst. Als er ihr nachgibt, verliert das Gold seine glückbringende Funktion in der s o z i a l e n Welt, so glücklich er selbst auch ist mit den schwarzen Steinen, die er als Chiffren mächtiger Kräfte dann mit sich herumschleppt: die künstlerischen Erkenntnisse, für die das Gold aus dem Bergreich des Waldweibs steht, sind menschlich-sinnvoll nur so lange, wie sie mit einer auf die menschliche Praxis gerichteten Tätigkeit sich verbinden. Als Symbole rein-innerer Erlebnisse sind sie Ausdruck von Entfremdung: wertlos für die hungernde Familie wie die Felsstücke, die der verwilderte Christian anbringt, - sinnvoll als Objekte, an denen der Wahnsinn sich entzündet. - Tieck zeigt also die künstlerische Tätigkeit des Romantikers in sozialer Dialektik, verschleiert sie dann allerdings auch wieder, indem er die Verarmung der Familie des wahnsinnigen Künstlers als nicht ganz geheure Erscheinung dämonisiert. Bei Hoffmann liegt der Akzent der Beschreibung ganz auf der Faszination durch unheimliche Mächte, das Resultat von Fröboms Tod auf der Oberwelt, die Einsamkeit der Braut ist eher akzidentiell und tragisch. Für beide gilt, daß die Mächte des Unterreichs in der Aura des Unfaßbaren und Unüberwindlichen auftreten, wer sich mit ihnen einläßt, ist ihnen verfallen, und die Abkehr von ihnen ist ein Verrat, den sie böse rächen.

Bei Arnim verlieren also die unterirdischen Mächte ihre Faszination im Verhältnis zu den natürlichen menschlichen Neigungen. Das Glück in den Armen der Bergkönigin erweist sich als Schein. Im Gegensatz zu den Figuren Tiecks, Hoffmanns (und natürlich des Novalis) wird dem Arnimschen Bergmann das bewußt, und er versucht, sich von den magisch-toten Gewalten zu lösen und sein Leben auf der Oberwelt selbst in die Hand zu nehmen. Trotzdem steigt er wieder hinunter und kommt um, doch nicht, weil er der Bergkönigin nicht entsagen kann, sondern aus "Gewohnheit", d.h. genauer, weil er seine Ausbeutung durch Eltern und Brüder akzeptiert hat, welche ihn um des Goldes willen zu harter Grubenarbeit zwingen: "Die Eltern freuen sich der Gaben / Und sie erzwingen von ihm mehr / ... Er muß in strenger Arbeit geben, / Worin sie prunken ohne Not". - Aufstieg, Fest und Hochzeit muß er sich erkaufen: "Da hat er trotzig ausgerufen: 'Ich will auch einmal lustig sein, / Und morgen bring ich wieder Stufen, / Und heute geh ich auf das Frein'". - Schon als er das erste Mal seiner "Sehnsucht in die Unterwelt" oder den Lockungen der Königin gefolgt war, hatte er sich sozusagen von seinen Gewissensbissen im Hinblick auf seine Bindungen in der Oberwelt freigekauft: "Dort zeige ich dir große Schätze, / Die reich den lieben Eltern hin, / Die s t r e i c h e n da nach dem Gesetze, / Wie ich dir streiche übers Kinn"... - Und während er sich so unten streicheln läßt, wird sein Gold oben in der 'äußeren Welt' in nicht ganz unverdächtige Unternehmen investiert: "Viel Schlösser sie erbauet haben, / Und sie besolden bald ein Herr"...

Damit treibt Arnim die Rationalisierung der Gold-Erkenntnissymbolik einen entscheidenden Schritt weiter als Tieck: der Künstler-Bergmann ist, obwohl ganz seinen inneren Sensationen hingegeben, doch ins politische Geschehen verstrickt. Er erkauft sich den ungestörten Kunstgenuß durch den Pakt mit den 'weltlichen'

Machthabern, deren Aktionen er Vorschub leistet. Das romantische Gold der Erkenntnis erhält so eine veränderte symbolische Funktion: es ist der "Apfel der Versuchung", sich einem ungetrübten individuellen Glück (Eros) hinzugeben; und so als Symbol der Abstraktion von der sozialen Praxis zugleich Zeichen menschlichen Irrens und des Verstoßes gegen die Natur (Kunstreich - Innenreich - Todesreich) und Zeichen der Verstrickung in die 'irdischen' Gewalten (Schlösser, Heer) und so womöglich Symbol politischer Schuld. - Während der Novalissche Künstler also durchs Unterreich (Eros, Gold, Erkenntnis) in ein kindlich-vorzeitiges Glücksreich gelangt und so den Sündenfall gewissermaßen rückgängig macht, wird die Unterweltsymbolik bei Arnim zum Zeichen der Versündigung in Lust, Selbstsucht und Verantwortungslosigkeit in der 'äußeren Welt'.

Die Unterschiede von Novalis' und Arnims Anschauungen lassen sich durch zwei Gedichte zusammenfassen. Der Novalissche Bergmann im "Ofterdingen" singt (stellvertretend für den Dichter):

> Der ist der Herr der Erde,
> Wer ihre Tiefen mißt
> Und jeglicher Beschwerde
> in ihrem Schoß vergißt (...)
>
> Er ist mit ihr verbündet
> Und inniglich vertraut,
> und wird von ihr entzündet,
> Als wär sie seine Braut. (...)
>
> Der Vorwelt heil'ge Lüfte
> Umwehn sein Angesicht (...)
>
> Er trifft auf allen Wegen
> Ein wohlbekanntes Land (...)
>
> Er führt des Goldes Ströme
> In seines Königs Haus
> Und schmückt die Diademe
> Mit edlen Steinen aus.
>
> Zwar reicht er treu dem König
> Den glücktbegabten Arm,
> Doch frägt er nach ihm wenig,
> Und bleibt mit Freuden arm.
>
> Sie mögen sich erwürgen
> Am Fuß um Gut und Geld,
> Er bleibt auf den Gebürgen
> Der frohe Herr der Welt. (S. 84 - 85)

Dagegen einige Zeilen aus dem Gedicht Alps, des Bergmanns in Arnims "Die Kirchenordnung", der nach langem Wandeln auf dem "Weg nach Innen" zu folgender Einsicht kommt:

> Nun weiß ich, daß ich nichts gedacht,
> Seitdem ich nichts getan,
> Ich sank in tiefe Erdennacht,
> Als ich dem Licht wollt nahn (...)
> Und was mich trug, war ein Betrug,
> So sagt mir der Verstand (...)
> Das i n n r e Leben ward nicht mein,
> Seit ich das ä u ß r e mied ... (III, 146 - 47)

3. DER APFEL DER PROSERPINA

Das bisher verarbeitete Material läßt die Feststellung zu: zentrale romantische Erkenntnissymbole werden bei Arnim negativ gewertet. Das künstliche Paradies des Unterreichs ist nicht Ort der Erkenntnis, sondern der Verführung und der Unnatur, es ist das Todesreich. - Die Grundsätze, aus denen diese Urteile hervorgehen, lassen sich bisher nur erschließen, die Verbindung zu Arnims christlichem Pragmatismus ist jedoch ohne Schwierigkeiten herzustellen. Die goldenen Äpfel romantischer Erkenntnis sind hier Äpfel der Versuchung, die Entlarvung der Hingabe im unterirdischen Kunstreich als Verblendung angesichts natürlicher Regungen und des gesellschaftlichen Lebens ist Kritik 'blinder' Theorie, der Trennung des Glaubens vom Wissen als des "Wurmstichs" aller neuern Kultur, dessen Anprangerung einer der roten Fäden des Arnimschen Werks ist. Die Idee der Erlösung des Bewußtseins aus der 'Sklaverei' der Ratio auf dem "Weg nach Innen" mußte Arnim als Geniekult, als hybride Überschätzung des Ich ablehnen.

Das bekräftigt seine Darstellung des Proserpina-Mythos, der ja teilweise die Grundlage für die Entstehung der Unterreichsymbolik bildet[1]). Hierzu eine "Idee" Friedrich Schlegels: "... Alle Künstler sind Decier, und ein Künstler werden heißt nichts anders als sich den unterirdischen Gottheiten weihen. In der Begeisterung des Vernichtens offenbart sich zuerst der Sinn göttlicher Schöpfung. Nur in der Mitte des Todes entzündet sich der Blitz des ewigen Lebens"[2]). Solche

---

1) Über den Zusammenhang des Proserpina-Mythos mit dem romantischen dichterischen Unterreich vgl. Werner Vordtriede, Novalis und die französischen Symbolisten. Zur Entstehungsgeschichte des dichterischen Symbols. Stuttgart 1962, bes. S. 43 ff

2) Friedrich Schlegel, Kritische Schriften, hsg. von W. Rasch, 2. Aufl. München 1964, S. 105

Schlüsse verboten Arnim die Grundsätze christlicher Demut. So setzt er den verführerischen Apfel Evas mit der Granate Proserpinas gleich, stellt von dort eine klare Verbindung her zur romantischen Gesteinsmystik und bannt das damit aufkeimende Böse in der Gegensymbolik von Mutter und Kind, die unterm Schutz des Glaubens gegen die Anfechtungen des Teufels immun sind. Das gilt nicht nur für die zunächst darzustellende "Elegie aus einem Reisetagebuch in Schottland" (1808 in der Einsiedlerzeitung und dann in erweiterter Fassung in der "Gräfin Dolores" veröffentlicht; die zweite Fassung wird hier benutzt), sondern für Arnims Werk überhaupt. Die Bindung der Lust in der Ehe ist wie die mythische Überhöhung des Irdisch-Mütterlichen einer der ideologischen Grundpfeiler seiner feudal-reformistischen Weltanschauung.

Arnims Kritik trifft nicht nur die 'Höllenmythen' der Alten, sondern die klassizistisch-romantische Huldigung der griechischen Bildung als vorbildlich insgesamt; analog zur negativen Wertung des Unterreichs ist weder "das bunte Gewimmel der alten Götter"[1] Ausgangspunkt seines künstlerischen Interesses, noch gilt der Süden als vorbildlicher Ort künstlerischer Bildung. In einer Anmerkung zur "Isabella von Ägypten" heißt es: "O Ihr kunstschwatzenden Menschen, die Ihr in alles sinnige Treiben unserer eigentümlichen Natur mit ewig leerem Widerhall von griechischer Bildung hineinschreit ... Von Euch ist aber nichts übergegangen zu den Göttern und von den Göttern nichts zu Euch ... schafft etwas Eigenes ..." (II, 544).

Für Arnim steht dafür die christliche Mythologie im Vordergrund; Schuldkategorien und Utopie sind bei ihm unzertrennlich mit Sündenfall und der Erlösersymbolik von Mutter und Kind verbunden. Im Hinblick auf den geschichtsphilosophischen Kern der am Mythischen orientierten Darstellung stimmt er jedoch mit den Romantikern überein: auch für ihn geht es um die bekannte "Einheit" oder 'Lebenstotalität' der Alten oder einer "Vorzeit", und auch er sieht einen Ausdruck dieser "Vorzeit" im christlichen Hochmittelalter. Das heißt, das von Schelling formulierte Gesetz der "Anschauung des Universums als Natur" und im Zusammenhang damit die universalhistorische Deutung der Mythologie als "absolutes Wesen" und "Ursprung und Ziel der Geschichte"[2] ist gültig auch für Arnims Dichtung.

Der Unterschied der Arnimschen Mythenrezeption zu der der Romantiker liegt in ihrer politisch-religiösen Praxis, nicht im geschichtsphilosophischen Ziel. Für den konservativen preußischen Patrioten war der aus dem Studium der griechischen Poesie gewonnene Gedanke des jungen Friedrich Schlegel beispielsweise

1) Fr. Schlegel, Gespräch über Poesie, Kritische Schriften, a.a.O. S. 502

2) H. Anton, Romantische Deutung griechischer Mythologie. In: Die deut. Romantik, hsg. v. H. Steffen, Göttingen 1967, S. 281

"Die Poesie ist eine republikanische Rede"[1], nicht primär faszinierend, dagegen wohl die mythologisch zu legitimierende produktive Anverwandlung der feudalen Grundsätze des deutschen Mittelalters. Demgemäß bestimmt die christliche Erbsündeidee seine Mythen- und Geschichtsdeutung: das Paradies ist ebenso wie die "Vorzeit" unserer frommen Voreltern verloren, aber es gilt, sich deren Grundsätzen demütig zu unterwerfen, um den ständig "hinunter rollenden Wagen" (der Geschichte) wenigstens zu bremsen. - Arnim hat nie in dem Maße wie der junge Schlegel republikanische und internationalistische Sympathien gezeigt; die frühe Schweiz-Rezeption in "Aloys und Rose" (1803), die mit der Gedichtszeile: "Der Freiheit Mutterland" (II, 122) endet, ist bereits ganz von der Opposition gegen Napoleon bestimmt. Der hier verteidigte Freiheitsbegriff wird politisch nicht konkretisiert, Rousseausche Gedanken schlagen sich nieder in einem Ausblick auf die 'Inseln der Glückseligkeit' ... - Seitdem steht Arnims Arbeit im Zeichen der Besinnung auf Deutschland, der seine Mythenrezeption also zumindest nicht widerspricht, insofern Ausflüge in die griechische Mythologie und den italienischen Süden, den symbolischen Ort künstlerischer Sehnsucht, als gefährliche Abschweifungen erscheinen, die den Dichter mit den Künsten der Hölle konfrontieren. - Hierüber gibt die Elegie des Dichters Waller über Proserpinas Apfel Auskunft (I, 426 - 429). Waller liegt an der Küste im rauhen Schottland, ärgert sich über schmutzige "Speise und Trank", betrachtet die "klingenden Höhlen des nordischen Mohrenbasalts", wo er die "Erde gestützt auf den Armen der Höll" findet, und tröstet sich mit vielen Schlucken "wilden" Getränkes. Im Traum gleitet er hinüber in die Gefilde der lieblichen Aurora überm Mittelmeer bei Genua, wo "weißer carrarischer Fels" ihn trägt... Die südlichen sonnigen Gefilde bleiben das Ziel der Sehnsucht des Dichters nach seinem Erwachen: "Siehe mein Leiden, o Mond, ... was ich mir wünsche, das fehlt"; doch ist sein Traum ein Erkenntnistraum, der die Gefährlichkeit seiner Sehnsüchte zu Bewußtsein bringt. Hier die Einzelheiten:

Waller also steht im Banne Auroras auf den Felsen Genuas, wo auf dem Meer "die Schifflein so weiß, flogen wie Federn davon".

> Lässig band sich vor mir die Göttin das goldene Strumpfband
> Zweifelnd, daß frühe so hoch steige der lüsterne Mensch.
> Und so stehend und ziehend am Strumpfe sie lebte und schwebte
> Wie ein Flämmelein hin über die spiegelnde Welt.
> "Fiametta!" ich rief, mir schaudert, sie faßte mich selber,
> Ja ein Mädchen mich faßt, lächelnd ins Auge mir sieht;
> "Ich bin's!" sagte sie peitschend den buntgepuschelten Esel,
> Daß aus dem ledernen Sack schwitzte der rötliche Wein ...

---

1) Fr. Schlegel, Fragmente, a.a.O. S. 14

Aurora-Fiametta lockt Waller, ihr zu folgen; sie liebkost ihn, und er meint sein Glück zu finden. In der Hand trägt sie aus "Wissenschaftsliebe" einen Stein:

> Rötlicher Feldspat es war mit köstlich großen Kristallen
> Wie er nirgends als dort schmücket den alten Granit.

Sie reißt ihm den Stein aus der Hand, spielt Ball damit, der Stein verwandelt sich in die Granate:

> Nicht der schrecklichen eine, die rings viel Häuser zerschmettert,
> Doch die feurige Frucht, mystisch als Apfel bekannt.

Die Zärtlichkeiten zwischen beiden nehmen zu, die Granate entfällt ihr, Waller fängt sie auf:

> "Kühle vielliebliche Frucht, einst Göttern und Menschen verderblich,
> Wohl du fielest auch mir, zauder ich, wo ich gehofft?"
> Doch ich zögerte noch, gedenkend an Helena traurend,
> An Proserpina dann, beide erscheinen mir eins
> Mit der Eva, da wollt ich die Frucht verscharren der Zukunft,
> Daß nur dies Heute, was mein, bleibe vom Frevel befreit.

Er zögert ihr zu folgen, steht zweifelnd am Meer, ihr Ruf weckt ihn, "daß ich nicht stürze hinein: Nein zu seicht ist die Küste, sie würde nicht bergen den Apfel, / Nur die Tiefe des Meers birgt ein unendlich Geschick", - ein immer noch verführerischer Gedanke, wie sich bald zeigen wird. - Er kommt ans Meer, beobachtet die Fischer bei der Arbeit, zögert und zweifelt noch immer, so daß ihm die Schöne entschwindet: "ich dacht nur des Apfels des Bösen / Und des unendlichen Meers"; doch da hört er ein "liebliches Singen", ein Schiff mit einer Mutter und ihren vier Kindern erscheint, die "als Zigeunerin singt, wie sie Maria begrüßt". Gedanken an Jesu Geburt, an "das bittere Leiden, den Tod des Weltenerlösers", an den "Stein", den er von der Gruft hob, bestimmen nun, was Waller zu tun hat: "Alles Verderben mir schwand, ich sahe das Böse versöhnet, / Statt zur Tiefe des Meers, warf ich den Kindern die Frucht", die der Mutter in den Schoß fällt: "O so versöhnt auch die Frucht und vernichtet sie so". Als sie gegessen ist, zeigt sich, worin die Versuchung bestand, die Frucht ins tiefe Meer zu werfen; dort wäre sie nicht "versöhnt" gewesen, da in der Unterwelt eben der Teufel haust, der nun wütend wird: "Doch da tobte herab ein Sturm aus schwarzem Gewölke, / Weil es den Teufel verdroß, daß ich die Frucht ihm entwand!" Waller aber fühlt sich jetzt sicher: "schaue die Engel bei mir", - also die Kinder, denen der Sturm vorm sicheren Hafen nichts anhaben kann.

Die Verbindung zu den Bergmannsgeschichten und der Umfunktionierung der Gesteins-, Unterreich-, Erkenntnissymbolik ist deutlich. Die mystische Frucht der Proserpina, die auch in den schicksalsträchtigen leuchtenden Almadinen und

Karfunkeln oder anderen steinernen und metallenen Früchten und Blüten bei Novalis, Tieck und Hoffmann symbolisch steckt, und durch deren Genuß der Künstler sich als Mitglied und Mitgenießer der Herrschaft in der Unterwelt ausweist, wird bei Arnim - um ihre Gefährlichkeit aufzuheben - kurzerhand als Apfel an hungrige Kinder verfüttert. Die Zeichen der Herrschaft über ein der sozialen Welt entgegengesetztes Schattenreich der Mythologie sind Symbole der Verführung und der falschen Hoffnung und werden zu Symbolen künstlerischer Erkenntnis in dem Augenblick, wo der Künstler dem Schattenreich den Rücken kehrt, - wie der zuerst im Schoß der Mutter und dann in den Mägen der Kinder sozusagen als Frucht des Lebens versöhnte gefährliche Apfel vom Baum der Erkenntnis zeigt.

4. DIE ROMANTISCH-POLITISCHEN GRENZEN DER ROMANTIKKRITIK IN "DIE GRÄFIN DOLORES"

Wie die meisten der in die "Gräfin Dolores" eingestreuten Erzählungen und Gedichte sind auch die oben besprochenen keine 'Füllsel', sondern sie sind mit dem Ganzen motivisch fest verknüpft. Das Bild des Mannes zwischen zwei Frauen - und umgekehrt -, bzw. zwischen "Tugend und Laster" (so wird Graf Karl auf S. 30 zwischen Klelie und Dolores gesehen), so wie der "Apfel des Bösen" Evas und Proserpinas und seine "Versöhnung" durch Mutterliebe und kindliche Unschuld, d.h. die Rückführung der moralischen Kategorien auf die Erbsündidee, bestimmen die Handlung bis in scheinbar nebensächlichste Verseinlagen.

Wie - in der Haupthandlung - Karl in der Spannung zwischen Dolores und Klelie steht, so steht Dolores zwischen Karl und dem Herzog, dem Verführer; dieser wiederum zwischen Dolores und Klelie, Klelie zwischen ihm und Karl, Karl dann zwischen Dolores (Klelie) und der Fürstin... Auch Waller, dem die schottische Elegie in den Mund gelegt ist, steht in einer solchen Spannung, nämlich zwischen seiner Muse und seiner Frau, die er auf deren Altar opfert, und ebenfalls die Geschichte des Predigers Frank wird von diesem 'Motiv' getragen, - um nur einige der wichtigsten Gestalten zu nennen. - Veranlaßt wird der Vortrag des Gedichts über die Bergkönigin und der Elegie durch die Geschichte des Grafen P. und der Fürstin, als Warnung vor und als Spiegelung der gefährlichen, lebensfremden Liebe zur Kunst beider und der 'verbotenen' Liebe der Fürstin zum Grafen Karl. Die Fürstin wird als sowohl geistige wie erotische Verführerin mehrfach mit den unterirdischen Gottheiten symbolisch in Zusammenhang gebracht: sie versucht sich vor den Augen des Grafen in den Ätna zu stürzen; - sie ordnet die Mineraliensammlung, sie ist mit dem Prinzen von Palagonien verwandt, von dem die Sammlung stammt; sie hängt mit dem Geschlecht der Stauffenberge zusammen, und die sagenhafte Stammutter ihres Hauses ist die bekannte "Meerfeie" (419); und sie tötet sich vermittels giftiger Mineralien, - eines "Apfels des Bösen" aus Proserpinas Reich. - Die Bannung dieses gefährlichen Apfels durch die fromme, Christus durch ihr Lied ins Blickfeld rückende Mutter und ihre Kinder auf dem Meer entspricht der Buße der Dolores als fromme Pilgerin und Gebärerin und der 'Aufhebung' des Ehebruchs durch seine Frucht, das Kind Johannes, welches sich von dem vererbten 'Fluch' der Leidenschaftlichkeit reinigt durch Verzicht aufs Leben im Kloster. - Damit sind die kritischen Maßstäbe des Romans gesetzt, - festgehalten in zwei Statuen; die erste erhält Graf Karl zu Anfang des Abschnitts "Buße" auf Sizilien als Geburtstagsgeschenk: "Klelie und Dolores standen neben einander, Dolores niedersehend auf ein Kind, das an ihrer Brust sog, und das sie mit beiden Armen hielt, Klelie blickte zum Himmel und erhob deutend eine Hand dahin, in der andern Hand hielt sie ein Buch, worin die beiden älteren Kinder der Dolores mit gefalteten Händen lasen" (329). Die andere ist das Denkmal, welches Karl seiner Dolores setzt, bevor er nach Deutschland zurückkehrt, um endlich fürs Vaterland tätig zu werden:

> ... und ehe ein Jahr vergangen, erblickten die Seefahrer mit frommem Danke die übergroße Bildsäule der Gräfin, wie sie mit der einen aufgehobenen Hand warnend, mit der andern ausgestreckten segnend, von ihren zwölf Kindern umringt, auf der Spitze einer gefährlichen Klippenreihe, die bis dahin der Untergang mancher Hoffnung und manches Lebens geworden, milde aus dem Himmel herableuchtend ihnen erscheint. Ihre Augen und ihre gräfliche Krone, und die Augen und Kronen ihrer Kinder werden jede Nacht durch eine kunstreiche Einrichtung wie ein neues wunderbares Sternbild erleuchtet, das noch hell glänzt, während alle am Himmel hinter Wolken erloschen; die Seeleute nennen diesen Leuchtturm "Das heilige Feuer der Gräfin" oder auch "Das heilige Feuer der Mutter" (512).

Das Ideal, auf welches die in diesen Bildern zum Ausdruck gebrachte Utopie zurückgeht, ist absolut: natürlich die alle produktiven und destruktiven Kräfte in fruchtbarer Synthese balancierende Natur oder die 'Mutter Erde', welche bekanntlich die Begriffe der Arnimschen Geschichtsdeutung liefert. Es wird sich zeigen, daß die Buße der Ehebrecherin Dolores in Demut und Fruchtbarkeit keineswegs nur eine Auseinandersetzung etwa mit allgemeinmenschlichen Triebproblemen bedeutet; die Versöhnung ihrer durch die Erbsündesymbolik als 'ewige' gekennzeichneten erotischen "Schuld" durch deren Institutionalisierung in der Ehe und durch Unterwerfung unter das Zeugungsgesetz der 'Mutter Erde' und die christliche Religion bildet den Kern in Arnims feudal-reformistischer Ideologie. "Die Zerstörung kommt von der Tätigkeit, die sich von der Erde ablenkt und sie noch zu verstehen meint" (517), heißt es in der Einleitung zu "Die Kronenwächter" von 1817, welche die Auflösung der mittelalterlichen 'Harmonie' von Rittertum und Bürgertum beschreiben und erklären. Dem wird positiv die Erklärung des "Grundbesitzes" als "das Körperliche" entgegengesetzt und des "Familienlebens" als "das Geistige auf Erden", dem das Körperliche "unterworfen" sei[1]. Die analoge Verankerung von feudalen und moralischen Grundsätzen im Absoluten ist deutlich. So ist es auch kein Zufall, daß die "gräfliche Krone" der Dolores im Sternbild überm Meer als Wegweiser leuchtet und das "heilige Feuer der Gräfin" mit dem der "Mutter" im dankbaren Volksmund zusammengestellt wird. Die himmlische Erleuchtung und 'natürliche' Harmonie und Produktivität, welche der Dolores-Leuchtturm symbolisiert, sind als ideologische Elemente nicht zu trennen von der sozio-ökonomischen Basis, für welche die "gräfliche Krone" steht. Mit dem Denkmal jener romantischen "Einheit" von Ratio, Natur und Gott, das am Ende des Romans in die "neue Zeit" hinausleuchtet, werden auf ideologischer Ebene die politischen Grundsätze utopisch zurückgewonnen, die vermittels der Schloßsymbolik zu Anfang festgestellt werden: da liegt einem "altertümlich getürmten und geschwärzten" mittelalterlichen Schloß "ein freier, leichter, heiterer, flachgedeckter italienischer Palast" gegenüber, der "schimmert ... mit hellen Marmorfarben und großen glänzenden Fenstern", - "als eine neue fröhliche Zeit neben einer verschlossenen ängstlichen alten ... beim ersten Anblicke". Kommt man jedoch näher und schaut genauer hin, so erweist sich dieser Eindruck als Schein, das alte, schwarze Schloß zeigt sich "wohlunterhalten und dauerhaft" und erweckt angenehme Erinnerungen, es "macht einem das wunderliche Gefühl, das die Leute romantisch zu nennen pflegen, es versetzt uns aus der sonnenklaren Deutlichkeit des guten täglichen Lebens in eine dämmernde Frühzeit, die auch uns erweckt hat und der wir heimlich noch immer mit erster Liebe anhangen und gedenken, ungeachtet es schon lange Mittag geworden und vielleicht bald wieder Nacht werden kann. Sind wir von diesem Gefühl durchdrungen, so scheint der kunstreiche Palast ... mit seinen nackten Götterbildern ... wie eine leere fremdartige Zauberei" (11-12). - Wie diese Schloßsymbolik sich in Arnims Geschichtsbild fügt, wurde beschrieben; der in seinem Glanz verführerische, sinnliche Palladio-Palast steht für eine sündige neue, von einer leichtsinnigen Aristokratie beherrschten Zeit, die mit der französischen Revolution gewissermaßen ihren Sündenfall erlebte. Entsprechend begeht die Gräfin Dolores, welche eben aus diesem Schloß stammt, ihren Ehebruch am 14. Juli ... - Das alte Schloß symbolisiert die mittelalterliche soziale 'Harmonie', die seine Solidität und Dauerhaftigkeit als unverrückbares Ideal ausweist. Ideologischer Ausdruck dieser angeblichen Harmonie ist eben jene "Einheit" oder 'Lebenstotalität' unserer mittelalterlichen "frommen Voreltern", die "uns in aller ihrer Geschichte anspricht" (II, 553) - so heißt es in der "Isabella von Ägypten" - und die in den Gräfinnen-Denkmälern wiederum symbolisiert wird. An den Einzelheiten wird zu zeigen sein, daß in dieser Definition des Mittelalters - wie es

---

1) Unbekannte Aufsätze und Gedichte, a.a.O. S. 42 (1819)

die Schloßsymbolik vermuten läßt - der moralisch-politische Ausgangspunkt und die Utopie des Romans liegen, - was nicht heißt, daß Arnim die vollkommene Restauration früherer sozialer Zustände für wünschenswert und möglich hält. Die anfängliche Verbindung des alten Schlosses mit "eine dämmernde Frühzeit" und die Bemerkung, der Autor hänge dieser Zeit mit "erster" Liebe an, "ungeachtet es schon lange Mittag geworden und vielleicht bald wieder Nacht werden kann", ist so durchaus symbolisch-ernst zu nehmen: auf die Nacht folgt ein Morgen, der das ungetrübte Glück erster Zuneigung wiederzubringen verspricht... Auf der ersten Seite des Romans wird damit durch die Verbindung von Tageszeiten- und Zeiten-Architektursymbolik auf das naturanalogisch-cyklische Geschichtsbild Arnims als Ausdruck seines feudalen Reformismus hingewiesen...: als der alte Fürst nach Revolutionskriegen wieder in sein solides Schloß zurückkehrt, liegt der leichtsinnige Palladiopalast in Schutt und Asche, doch das "altertümliche fürstliche Schloß trat glänzend hervor im Morgenrot; der Wächter blies mit seinem Horn von der hohen Zinne den Tag an, es schien noch Jahrhunderte zu überschauen und des Grafen luftiges Gebäude, das so lange darauf zu spotten schien, lag da wie eine untergehende leichtsinnige Zeit reuig abbittend vor einer alten, dauerhaften, wiederkehrenden, bescheidenern" (373).

"Umfunktionierung romantischer Erkenntnissymbolik" bedeutet also keineswegs die konsequente Verurteilung romantischer Grundsätze bei Arnim. Er verwirft die autistischen Mythen der Romantiker, deren Erlösungsansprüche, wie sie die Gesteinsmystik des Novalis beispielsweise symbolisiert, ihm als hybrides Spiel mit dem "Apfel des Bösen" erscheinen. Sein Erzählinteresse basiert auf einem Ethos des politischen Handelns, das im Künstlerischen die Synthese des Phantastischen mit dem Verstandesmäßigen und Historisch-Politischen fordert. Er denkt jedoch grundromantisch, insofern er Schuld und Schicksal, Gut und Böse romantisch-mythologisch im Hinblick auf die paradiesische "Einheit" und die Erbsünde determiniert und sich analog politisch an der 'heilen' Welt des Mittelalters orientiert.

Zunächst eine Präzisierung der Schuld-Unschuldskategorien und die Vorstellung der wichtigsten Figuren. - "Laster" und falsches Bewußtsein, in den Gedichten symbolisiert durch den "Apfel Proserpinas", bedeuten angewendet aufs Alltagsleben, - mit einigen typischen Reflexionen des Romans: "der sich diesem göttlichen Strahle verschließt, und in eigener Lust sich der allgemeinen Liebe verschließt ... verliert sich selbst, alles entfremdet sich ihm, er versteht keine gute Seele und keine gute Seele versteht ihn mehr" (498). - Vom "wunderbaren Doktor" sagt Graf Karl mit einem weiteren Schlüsselsatz des Romans, daß er "sich in seinen Träumen verliert und verwildert ..., dem Sonderbaren ganz hingegeben" (273). Dieser Wissenschaftler (eine Beireis-Figur, der einen selbstgemachten Diamanten als seine "Geliebte", als "Stein, worauf ich meine Kirche erbaut habe" - 291 - anbetet) hat zentrale Funktion insofern, als seine Existenz Karl zur Warnung vor eben jener "Verwilderung" in seinen Träumen wird. Er erscheint dem Autor mit Karl als ein "Sinnbild des meisten Lebens" (290). In allen diesen Definitionen ist deutlich der 'Fall' in Hybris oder Selbstsucht gegenwärtig, sie laufen auf den Satz hinaus: "Je tiefer wir in uns versinken, / Je näher dringen wir zur Hölle" (408). - Dieser Selbst- und Weltentfremdung sozusagen in der 'Hölle des Ich' stehen dann die bekannten Kategorien der paradiesischen "Einheit" mit sich selbst und von Ich, Natur und Gott positiv entgegen. So wird, wie zitiert, von "gute Seele" als Absolutum geredet; von "schöne fromme Seele" (als Gegenteil von "leichte Weltseele", - 49); so wird gefordert, man solle seiner "Natur" folgen, "denn sie allein weiß, was sie will, wir aber wollen, was wir nicht wissen" (50); es heißt, "das reine Gemüt und das große Talent" hebe sich ab gegen das "kleinliche Gemüt", das "aus widersprechenden Stücken zusammengesetzt" sei, durch "die Einheit seines ganzen Daseins, mannigfältig wie Gottes Welt" (51). Man muß versuchen, "sein Eigenes zu finden" (245), und durch Berührung mit der "höheren Welt" erlangt man die Fähigkeit, sich zur "Vollendung hinzubilden" (323).

Der Grad der Entfremdung in Leidenschaft und Gottvergessenheit oder der Trennung "des Wissens vom Glauben" (der "Wurmstich" der Kultur neuer Zeit so Arnim im "Hollin") bestimmt also die Verschuldung der Figuren. Der Grund des erotischen 'Falles' der Dolores ist der "hochmütige Eigensinn, das törichte Vertrauen zu sich, an welchem sie endlich zu Grunde gehen mußte" (62). Karl wird hybrid, als er sich von der nichtsahnenden Gräfin aus Rache wegen ihres Treuebruchs erschießen lassen will. Er kommt zur Einsicht: "Es war ihm, als hätte er eine ungeheure Schandtat getan, und frevelnd, um eine Schickung Gottes abzulenken, statt sie in Tugend und Kraft zu bestehen, dieses heilige Werk Gottes, sein Ebenbild zerstört" (309). Der Herzog von A., der Verführer, ist ein Roquairol-Typus, eine extreme Verkörperung des 'Lebensschauspielers', der ständig auf der Flucht vor der Langeweile sich befindet und in diesem Zusammenhang keiner weiteren Erklärung bedarf. (Er betreibt übrigens Alchemie, die bei der Verführung der Gräfin eine wichtige Rolle spielt: die Verbindung zur 'Unterwelt'...) Ihm verwandt ist der Dichter Waller, dem Leben vor allem als ästhetisches Spiel wichtig ist und der z.B. auf der Jagd nach Inspiration in romantischen, aber feuchten Wäldern seine Frau so lange quält, bis sie an der Schwindsucht stirbt. Der Prediger Frank ist ein "geistiger Verführer" (126), der seinen wahren Charakter als Revolutionär und Anhänger der 'Kirche der Vernunft' in Paris entpuppt und sich in seinem Hochmut bis zur Behauptung verirrt, er habe alles, was über Philosophie erscheine, längst ausgedacht, es sei "nur ein Glied meines Systems" (339). Der sogenannte häßliche Baron, "dieser widrige Mensch" (213) ist ebenfalls "in sich verwildert" als erklärter Rowdy, der sich an seiner Mitwelt für seine Häßlichkeit schadlos hält. Sein Freund Nudelhuber, ein schweizer Kaufmann oder besser Hausierer, ist ein Zyniker, für den Moral Geld heißt. Der Ritter Brülar spekuliert politisch in Erziehung: "sein Inneres war von der Zeit furchtbar zerrissen"; - "Völker hatte er nie geachtet, nur Systeme und Grundsätze ... er wollte die Menschen ohne ihr Mitwissen zum Glücke hinbetrügen" (349-50). Der Graf P., der Vater der Dolores und der Klelie, ist der gewissenlose Kunstfanatiker, der sich bankrott baut und seine Familie im Stich läßt. Der 'Fall' der Fürstin schließlich ist bekannt.

Der durch seinen künstlichen Liebesapfel als Unterwelt-Genosse wie die Fürstin bezeichnete "wunderbare Doktor" ist in der Tat "ein Sinnbild des meisten Lebens" im Roman. Als extremes Gegenbild dieser 'Höllischen' fungiert Klelie, die in der "alten Zeit" hätte eine "Heilige werden können" (167), wie Dolores bemerkt. Sie ist vorbildlich in ihrer Frömmigkeit, Tätigkeit und erzieherischen Vernunft, nur überwiegt offenbar nach Arnims Geschmack das Geistige in ihr zu sehr, ihr fehlt nämlich die Fruchtbarkeit, ein Fehler, den sie nach dem Vorbild des Grafen in die Fruchtbarkeit des Handelns verwandeln muß. Karl selbst ist als wirklicher Held der Mittelpunkt des Geschehens. Auch er versündigt sich (doch bezeichnenderweise nur im Leiden, aus Rache in Verzweiflung; einen Treuebruch wie Dolores, also den 'Fall' zu begehen ist er unfähig), doch lernt er rasch aus seinen Fehlern und bleibt 'im Grunde' dem leitenden moralischen Gesetz immer treu. In seinem "Streben nach Reinheit und Vollendung" (63), von allen Kindern "wunderbar" geliebt (433) hat dies "reine Gemüt" (51) die bekannte "Einheit" als absolutes Leitbild stets vor Augen und kann so "seinen wohltätigen Geist über Tausende" ausbreiten (327), im persönlichen Umgang wie im Ökonomischen und Politischen, - nach den Grundsätzen des Arnimschen Reformismus auf feudaler Basis. Die Fürstin ähnelt ihm eine Zeitlang, - solange sie in Deutschland ihre Regierung in beinahe mittelalterlicher Idealität führt (381)- ihre Liebe zu Karl, der gegenüber er sich übrigens so "wunderbar" bewährt, wie ihn die Kinder lieben, ist aber bereits Verrat des Ideals an die Lust. -

Dem Grundsatz der Verbindung von "Glaube und Wissen" entsprechend versucht nun Arnim, den idealistischen Bewußtseinskategorien ein rationales psychologisches, - genauer: erziehungspsychologisches Fundament unterzulegen, ohne daß damit der Primat des Mythischen gebrochen würde. Für das Bewußtsein des Autors kann von einem Widerspruch zwischen "beschreibender" Anlage, wie Immermann aus einer mehr realistischen Perspektive feststellte, und romantischen Tendenzen keine Rede sein. - Der bewußtseinsbildende Einfluß von Milieu und Erziehung wird deskribiert; so kommt die leichtsinnige Gräfin Dolores eben aus dem leichtsinnigen Schloß "neuer Zeit", und ihre aristokratisch-ignorante Erziehung wird kritisch geschildert. Pointiert als psychologische Ursache der Fähigkeit "geistiger Verführung" wird die manische Angst der Mutter des Prediger Frank vor Verführung; sie zieht z. B., um den Sohn zu schützen, mit ihm auf seine Studentenbude und führt ihn wie einen Sechsjährigen an der Hand zur Universität ... Ähnlich erklärt der "widrige Mensch", der "häßliche Baron" seine 'Widrigkeit' aus Kindheitserlebnissen; da ihn die Mutter "mit Abscheu anlachte, mit meinem Grinsen Possen trieb und mich dann im Ekel von sich warf" (213), identifiziert er sich mit der Rolle des 'Abartigen' und rächt sich an seiner Mitwelt eben durch 'häßliches'Verhalten. - Die Beispiele könnten vermehrt werden. - Doch führen diese Ansätze einer Psychologie der Einheit von "Sein und Bewußtsein" keineswegs zu einer sozialkritischen Rationalisierung von Schuld und Schicksal, wie es in der Aufklärung angelegt war. Die Veränderung des Ich bleibt ein individualmoralisches, religiöses Problem, und die Veränderung der Verhältnisse dessen - reaktionäre Konsequenz. Nicht um der Frage der Veränderbarkeit der Welt und der Befreiung von traditionellen repressiven ideologischen Normen willen läßt Arnim seine Figuren schuldig werden, sondern um sie religiös disziplinieren zu können zum Zwecke der Demonstration unveränderlicher Moralgesetze. Die Antinomie von "reines Gemüt" und 'gefallenes' Gemüt bildet den Maßstab, - nach der Erbsündeidee kann Veränderung des Bewußtseins, wenn sie zum "Guten" führen soll, nur Re-formierung in gläubiger Demut, Reue und Buße sein: "Ein Tag innerer Versündigung kann den Menschen um ein halbes Jahrhundert an Geist, Erkenntnis und Durchdringung alles Lebendigen schwächen und veralten" (489), heißt es im Hinblick auf den nahen 'Fall' der Fürstin: "darum hütet euch vor dem ersten Falle, die ihr das Licht und die Anschauung der Welt liebt" (489). Verlorene Unschuld, Buße und 'Versöhnung' der Schuld in Mutterliebe und kindlicher 'Reinheit' bilden das Ideengerüst der "Gräfin Dolores". Daher die Zentrierung des Geschehens um den "Apfel der Versuchung", - daher die Wichtigkeit von Wiedergeburtsritualen wie Beichte, Pilgerfahrt, Vergebung der Sünden unterm Symbol des Lamms und des Neubeginns in Sizilien, - daher die beinahe ins Lächerliche getriebene reuige Gebärfreudigkeit der Dolores und daher der nicht besonders humane Einfall, die Frucht ihres 'Sündenfalls', den Sohn Johannes zur Tilgung dieser 'Schuld' im Kloster geistlich-glücklich werden zu lassen ...

In dieses System 'ewiger' Probleme und ihrer Überwindung fügen sich die genannten psychologisch-rationalen Deskriptionen zwanglos ein. Die Darstellung 'widriger' Erziehung "widriger Menschen" bedeutet nicht mehr, als die Bindung des 'Fluchs' des Bösen an die Geschichte des Einzelnen. Daß durch Erziehung sich die Sünden der Eltern auf die Kinder forterben, berücksichtigt Arnim, doch mit der Konstatierung dieser Tatsache wird der Einzelne sozusagen im weltgeschichtlichen Elend sitzengelassen. - Nach Arnims Worten an Grimm geht es darum, "Gottes Hand in dem Zufälligen und die Rettung eines Menschenlebens aus der Sünde in der Dolores zu zeigen" (Steig III, S. 75, Okt. 1810). Vor der Wucht dieser Hand Gottes dankt die soziologische Vernunft des Dichters ab; hat seine Figur das Schicksal ereilt, so darf sie ihm nicht einmal mehr leid tun: "O du angebetete Schönheit, wie bist du gefallen von deiner Höhe, wie bist du gemein worden und ich trage keine heilige Scheu mehr vor dir" (265), heißt es typisch christlich-unbarmherzig, als Dolores ihren Leidenschaften erlegen ist. So wenig der Autor sich moralisch dem Urteilsspruch des Absoluten entzieht, so wenig läßt er einen "Sieg des Realismus" technisch zu. Zwar mischt sich in seinen Charakteren Gut und Böse, da der Sündenfall jeden ereilen muß (ausgenommen Kinder und idealtypische Frauen wie Klelie), doch ist der Hang zur Allegorisierung im Sinne einer Verteufelung oder Verengelung der Figuren deutlich. Die Demonstration absoluter Normen fordert besonders klare psychologische Verhältnisse, - die Zitate verabsolutierender Bewußtseinskategorien zeigten es bereits. Schon auf Seite 62, bevor mit der Hochzeit der Gräfin die Schuldhandlung noch recht in Gang gekommen ist, steht "der hochmütige Eigensinn, das törichte Vertrauen zu sich, an welchem sie endlich zu Grunde gehen mußte", fest. Dolores ist ganz Sinnlichkeit (ihre Farbe ist Rot[1]) und hat so natürlich keine Chance, anders zu enden, als sie angetreten ist. Sie ist zum "Laster" geboren, und sie stirbt daran, - trotz Buße in hausfraulich-gebärerischer Zerknirschung und Untertänigkeit. Die Kenntnis nämlich der Sünde, also des Ehebruchs, läßt sie in der Angst leben, betrogen zu werden, und die Annahme, ihr Karl liebe die Fürstin, versetzt ihr den Todesstoß. - Klelie, die zu Anfang als "Heilige" gedacht werden kann, tritt dann in Sizilien wirklich als Repräsentantin Gottes auf, wie sie mit weißem Schleppmantel und dem Kreuz in beiden Händen unter die siegenden Räuber reitet, welche zu Boden auf die Knie sinken und sich ihr anschließen. - Auch Karl bleibt, wie beschrieben, im Grunde genommen immer das kindlich-reine Gemüt (seine Farbe ist das Grün der Kindheit und Unschuld, der er stets treu bleibt[1]). Wie er zu Anfang der Handlung zwischen zwei Frauen als zwischen "Tugend und Laster" gestellt wird, so bewährt er sich stets als die 'goldene Mitte' zwischen Extremen; nicht etwa so also, daß er Gut und Böse zum Aufweis eines psychologischen Realitätsprinzips in sich vereint, sondern im Gegenteil, indem er die sinnliche Kraft der Dolores mit der Heiligkeit Klelies zur Synthese bringt. Die Situation des Mannes zwischen zwei Frauen oder einer Frau zwischen zwei Männern verbildlicht die Möglichkeit, am guten und bösen Beispiel zu lernen, wie man die Extreme vermeidet, um 'an ihnen' zur Vollendung zu reifen, - wie es Karl besonders gut gelingt, als mit der Fürstin sich der Reigen von Vor- und Gegenbildern um ihn schließt: "sein Leben hatte etwas himmlisch Vollendetes, wie es auf Erden nur kurze Zeit dauert" (490). Da bilden also tätige Frömmigkeit (Klelie), Sinnlichkeit (Dolores) und Kunst (welche die Fürstin als Schwester Proserpinas ist) eine fruchtbare Synthese mit der ökonomischen Tat im - Grafen Karl, der so fähig ist, in die Geschicke des deutschen Vaterlandes politisch einzugreifen. - Man

1) Zur Farbsymbolik vgl. E.L. Offermanns, Der universale romantische Gegenwartsroman Achim von Arnims, Die "Gräfin Dolores". Zur Struktur und ihren geistesgeschichtlichen Voraussetzungen. Diss. Köln 1959

hat es hier entweder mit Engeln, mit gefallenen oder zerknirschten Sündern zu tun, - diese Figuren verkörpern religiös-ideologische Kategorien, und ihre Kommunikation läuft darauf hinaus, die Vorbildlichkeit der Vorbildlichen zu 'erweisen', indem entweder die Gegenfiguren in die Hölle geschickt oder in Reue angepaßt werden. Wie eingangs beschrieben, befindet sich "das meiste Leben" des Romans allerdings moralisch in der Unterwelt, "verwildert" in seinen Träumen, dem "göttlichen Strahle ... entfremdet" (489).

Wie angedeutet, wird dieses mythologisch versicherte Deutungs- und Bußverfahren konkret verständlich erst auf seiner historisch-politischen Basis. "Überhaupt habe ich mit der ängstlichsten Gewissenhaftigkeit, wo das Buch die Zeit berührte, irgend ein wahres Fundament unterzulegen gesucht, daß man sie immerhin für erdichtet halten mag, aber diese Zeit selbst darin in aller Wahrheit gedeutet finde" (Steig III, S. 76, Oktober 1810). - Arnim betont also 'Deutung', nicht den Anspruch einer umfassenden 'objektiven' Darstellung der sozialen Situation. Mythologische Präsenz des Ewigen und Tendenz zu 'Verengelung' und 'Verteufelung' der Charaktere erweisen sich denn auch als Elemente eines Systems von Abwehrmechanismen zur Rettung reaktionärer Grundsätze. - Um die verlorene Unschuld eines früheren 'natürlichen' Harmoniezustandes geht es im Privaten wie Historisch-Politischen. So wie Dolores "durch der Kinder schuldlose Liebe aller schuldigen Lust entsühnt" (333), so muß auch der Palast, aus dem sie kommt, bei der Wiederkehr des 'alten' Fürsten in den Flammen aufgehen, - zum Zeichen dafür, daß "eine untergehende leichtsinnige Zeit reuig abbittend vor einer alten dauerhaften, wiederkehrenden, bescheidenern" liege (373). Arnim reinigt sozusagen Figuren und Verhältnisse in der Unschuld frommer Denkungsart einer vergangenen 'heilen' Welt. Diese alte Zeit erscheint als sozialer 'Naturzustand' gemessen an der Deutung sozialer Krisen als "Krankheiten"; Buße ist daher das geschichtsphilosophische Stichwort des Arnimschen Reformismus. Der Abschnitt "Buße" wird so eingeleitet: "... Gewiß, die reuige Buße kann viel, sie ist die wirksamste Kraft in den großen Begebenheiten wie in den kleineren des häuslichen Kreises; ihre Wiedererzeugung, bald unbewußt, hat seit dem Gedenken der Welt alle Krankheiten der Zeitalter geheilt, so verschieden sie immer erscheinen mochte" (307). - Buße setzt Prüfung voraus:

> Wir haben den festen Glauben, daß die periodische Not ganzer Völker, die unter mancherlei Namen meist unerwartet über sie einbricht, ganz notwendig sei, alle eigentümlichen Gesinnungen, Bildungen und Richtungen zu prüfen, die sich im Übermute des Glückes entwickelt hatten, die zufälligen, leeren und störenden Sonderbarkeiten gehen unter, die echte, reine, aus sich selbst lebende Eigentümlichkeit wird bewährt, gestärkt und ihrer selbst gewiß (...); viele ahndeten auch lange voraus, daß die Zeit in ihrem festen Schritte auch über Deutschland hingehen und die alten Verhält-

> nisse, zu Glück und Beruhigung mühsam auferbaut, niedertreten könnte. (28-29).

Hier sind die Begriffe wie "Reinheit", "Einheit mit sich selbst", "dem Sonderbaren hingegeben" als Ausdruck des "Sinkens zur Hölle" mit dem Glück früherer politischer Zustände und der Auffassung der Geschichte als Prüfung und Anlage zur Buße vereint, wie es die tragende Idee des Geschehens im Roman, die Erbsündeidee verlangt. Und die Konzeption des Romans: Glück - Verschuldung - Buße erhält ihre absolute geschichtsphilosophische Legitimation. - Wie man sah, ist Arnim seinen Figuren ein strenger Zuchtmeister; auch hierfür hat er eine höhere, der Natur abgelauschte Begründung:

> ... die vom Menschen gezähmten mächtigsten Tiere wünschen und erfreuen sich der Buße, wo sie ein Unrecht getan, sie wissen es weder schön noch gut, noch heilig zu machen, sie wollen S t r a f e. Auch der Mensch unterziehe sich willig der Strafe, wo die Buße ihn nicht ganz erneuen kann: die Strafe ist die E r g ä n z u n g der Buße (308).

So erklärt sich, warum aus der von Karl verkörperten feudalen 'goldenen Mitte' Positionen und Utopie des Romans sich ergeben. "Sie werden mich darin finden", schreibt Arnim über Karl an einen Freund[1]. Karl weiß von der Gegenwart des Romans, dessen zeitgeschichtlicher Hintergrund die Napoleonkriege bilden: "sie trägt der Vorzeit schwere Sünde, und diese abzubüßen ist ihr hohes Verdienst" (88). Eben dies Bewußtsein legitimiert ihn als Helden. In seiner "Reinheit" oder kindlichen Unschuld ("er war als Vater noch unschuldiger als manches Kind", 259) bildet er eine annähernd vollkommene Einheit der "Einheit mit sich selbst" und der historisch vorgezeichneten "Einheit" von Glaube und Wissen und Tat und wird so zum psychologischen Ausdruck einer Synthese von bürgerlich-individualistischen und feudal-kollektivistischen Interessen. - Den politisch progressivsten Ausdruck findet diese "Einheit" als Versöhnungssystem von "alter und neuer Zeit" in gewissen Gleichheitsträumen Karls aus Arnims früher, gewissermaßen illusionistischer politischer Periode zur Zeit der Steinschen Reformen: es ist ihm "ein angenehmer Gedanke auf Du und Du mit aller Welt zu sein"; es ist "sein Lieblingsplan, alles Gute und Ehrenvolle, was sich in den adligen Häusern, nach seiner Meinung entwickelt habe, allgemein zu machen, alle Welt zu adeln". Er "hasse" das "Gerichtswesen des Adels sowohl wie der Fürsten, die Gerichte müssen im ganzen Lande von den tätigen Gewalten unabhängig sein, ganz auf freier Wahl beruhen und wo Richter nicht genügten, müßten Geschworene zu Hilfe kommen" (172-73). Er spielt auf die Landreformen an: "er sah schon bis zur Hütte hinunter alles in behaglicher, selbständiger Freiheit, daß schon das schöne

---

1) Zitiert nach W. Migge, Zur Entstehungsgeschichte der "Gräfin Dolores", I, S. 1059

Verhältnis im unbedeutendsten Baue, das Wohlgefällige im ärmlichsten Anzuge es dartaten, ein höheres Leben habe sich bis zu allen äußersten Punkten verbreitet; es dringe die Blütezeit hervor, auf welche die Dichter schon lange vergebens hoffen" (68).

Arnim distanziert sich andeutungsweise vom jugendlichen 'Überschwang' seiner Figur, die noch von den Universitäten her den "Kopf voll rascher Weltverbesserungen" habe, alle Welt adeln zu wollen sei ein Widerspruch in sich (172). Im Grundsätzlichen stimmt er allerdings mit Karl überein, und das heißt vor allem in der gemäßigten Verteidigung einer feudalen Gesellschaftsbasis unter Abwehr reaktionärer wie revolutionärer-bürgerlicher Radikalität. "Karl", so wird kommentiert, sei "kein Adelstor, wie die meisten seines Standes zu jener Zeit, bei denen er für einen Revolutionär galt, aber er kannte das Achtbare der Familiengesinnungen und Familienehre, die sich noch immer in denen Häusern fortpflanzen, welche sich einst den Herrschern gleichgeachtet" (34). Gegen Dolores, die "ihre früheren geistig bestimmenden Zeiten unter der eigensinnigen Klasse von Leuten zugebracht, die sich damals in Deutschland bildete, welche blind an eine notwendige Rückkehr derselben Verhältnisse glaubte, die lange ihnen bequem gewesen" (171-72), - gegen Dolores also und die Klasse von Aristokraten, unter deren "Sünden" die Zeit leide, verteidigt Karl seine Reformideen. Als Vertreter herkömmlicher Klassenpositionen bewährt er sich jedoch wie sie. Dolores ist eine Spielerin, Karl ist der Praktische, der die Bedrohung ihrer gemeinsamen sozioökonomischen Basis von rechts wie links bemerkt. Er lernt dementsprechend an bösen Beispielen, seine Gleichheitsträume auf den rechten Grundsätzen anzusiedeln; die schöne Vorstellung beispielsweise, daß man auch im "ärmlichsten Anzuge" bald "ein höheres Leben" genießen werde, folgt auf ein Erlebnis mit dem "häßlichen Baron", diesem "widrigen Menschen":

> mit Schrecken dachte er, daß eine Revolution gerade notwendig solche Menschen an ihrer Spitze tragen müsse, und mancher jugendliche Umwälzungsplan, den er mit dem gärenden Moste der Zeit getränkt hatte, verschwand vor seinen Augen in dem einen bedeutenden Augenblicke; nur der Ruchlose fängt eine neue Welt an in sich, das Gute war ewig; das Bestehende soll gut gedeutet werden, sagt ein tiefer Denker (Hölderlin siehe Tröst-Einsamkeit S. 73. Arnims Anm), dem folgt Deutschland in seiner Entwicklung. (67-68)

Diese nostalgische Assoziation (der Gedankenbewegung: vom Revolutionär zurück zum bewährten Ewigen entspricht Karls Situation: er kehrt von einem lebensgefährlichen Unternehmen, dem geplanten Duell mit dem Baron, zurück nach Hause zur Dolores...) bezeichnet die absolute moralisch-politische Grenze, die Arnim und sein Held nicht überschreiten dürfen. Jenseits ist die "Hölle" der "Ruchlosen", in welche man bekanntlich "in sich" versinkt, - der Rationalisten und

Revolutionäre, die nicht umsonst mit dem höllischsten Vokabular verfolgt werden, wie der Wunderdoktor und der Prediger Frank, dieser "kalte(r) Satanas" (125). Die "gute" Deutung des Bestehenden läßt die Unabhängigkeit des Bürgertums im städtischen Bereich und im Wirtschaftlichen zu, wie beschrieben, die traditionelle feudale Herrschaftsstruktur tastet der Roman jedoch nicht an. Eine soziale Haltung wird an mehreren Stellen deutlich, so wenn Karl sich wegen der Gerichtsabgaben erbost, auch im Interesse der "Ärmeren, die vielleicht eine ganze Woche vom Morgen bis in die Nacht für dieses Geld arbeiten mußten" (174), oder wenn Arnim wünscht, "mit einem sehr traurigen Familienverhältnisse bekannt zu machen, das unter den ärmeren Klassen auf dem Lande häufig hervortritt, wo ein kleines Eigentum, Haus und Garten, selten geeignet ist, mehr als eine Familie zu erhalten" (175). Wo die progressive Deutung des Bestehenden praktisch wird, bleibt sie jedoch grundsätzlich individual-moralisch, "sittlich", wie es heißt, mit dem bekannten büßend-rückläufigen Ziel: "Es ist ein Vorteil unserer Zeiten, daß sie die Verschiedenheit der Stände, wenn auch nicht aufhebt, doch sittlich unabhängiger voneinander macht; so wird auch die sklavische Liebe der Volksehre weichen" (171). Bekanntlich war die Lösung der Bauern aus patriarchalischen Bindungen auch der wirtschaftlichen Entfaltung der Besitzenden günstig; Arnims soziale Pläne implizieren das bürgerliche Leistungsprinzip, aber nicht die Abschaffung von Untertanen und Herren. Worauf diese "sittliche Unabhängigkeit" konkret zielt, auf welchen "echten Fortschritt", verdeutlicht die Beschreibung von Karls Erziehungsgrundsätzen:

> ja es war der eigentliche Geist seines Strebens, durch eine bessere Erziehung der Landjugend und selbst durch deren Rückwürkung auf die Eltern den echten Fortschritt der Zeit allgemein zu machen, und also die verschiedenen Stände in einen natürlichen Austausch ihrer Gedanken in gleicher Sprache wieder gesellig einander zu nähern, wie noch vor funfzig Jahren in vielen Gegenden Deutschlands Herren, und Diener an einem Tische mit einander aßen und außer der Beschäftigung keinen Unterschied aneinander kannten. (243)

Die gute "alte Zeit" und ihre Moral bleiben doch die Orientierungspunkte der Handlung, die sozio-ökonomische Konkretisierung gesellschaftlicher Repression liegt Arnim noch sehr fern. Wie die büßende Gräfin es vorführt, sind die sündigen Aristokraten, wenn sie nur reuig zu Kreuze kriechen, doch wieder ganz akzeptabel und vor allem gesellschaftlich funktionsfähig.

Graf Karl, der kindlich-reine Landadelige, das patriarchalische Vorbild aller Frauen, setzt also die moralischen und politischen Maßstäbe der Buße zum Zwekke der Annäherung an verlorene Unschuld. Als konkrete soziale Situation wird diese Unschuld ins romantisch-gedeutete Mittelalter verlegt, vermittels Zeiten-Tageszeitensymbolik (Schlösser etc.), religiöse Symbolik und Analogisierung von

Kindheit, Unschuld, "Einheit" und "Vorzeit". Arnim beschreibt zwar nirgends ein ideales Mittelalter, seine Vorstellung von einer 'gefallenen' Menschheit verbot die Idylle. Der Blick zurück in 'heile Welten' ist jedoch konstitutiv; Erbsündesymbolik und Denkmal der fromm-gebärenden büßenden Mutter geben die leitende Idee an, die Harmonisierung oder Versöhnung des Widersprüchlichen wie Lust und Unschuld in Familie und Ehe auf der Basis des 'Irdisch-Fruchtbaren', politisch gesprochen die Harmonisierung von Rittertum und Bürgertum auf feudaler Herrschaftsbasis. "Natürlicher Austausch" im Bereich der Bildung (öffentliche Schulen werden gefordert, - 364), "sittliche" Annäherung der Stände sind die praktischen Mittel des 'Ausgleichs'. - Wer sich diesen Idealen reuig unterwirft, kann 'gerettet' werden. Der Graf P., der Vater der Dolores, durch den der "Vorzeit schwere Sünde" "von dem schuldigen auf den unschuldigen Teil" (29) überging, kann nach langer Buße zurückkehren und an einer segensreichen Regierung teilnehmen, nämlich der der Fürstin, deren Hof sich "der Glückseligkeit des Hoflebens ..., wie es in der Ritterzeit wirklich vorhanden war... wenigstens näherte" (381). Zur Vollkommenheit zu reifen wie Karl gelingt ihr nicht, und sie fährt reulos, in geistiger Leidenschaft verblendet und so als Gegenbild der Dolores zur Hölle.

Diese Verteufelung der Fürstin im Gegensatz zur 'Verengelung' der Klelie und der Dolores ist paradigmatisch für die moralische Rücksichtslosigkeit, mit der Arnim der Bußidee entsprechend sein soziales Modell von störenden Einflüssen 'reinigt'. Wo seine Versöhnungsgrundsätze bedroht werden, urteilt er wie der rächende Gott, für den es nur Heilige oder Gefallene gibt. Diese Bedrohung liegt natürlich vor allem im Rationalismus und Kapitalismus, worauf Arnim wie Graf Karl auf den "häßlichen Baron" nostalgisch und idiosynkratisch reagiert. Soziologisch relevantem Widerspruch aus dieser Richtung wird moralistisch vorgebaut, seine Repräsentanten werden verteufelt oder verfallen der Groteske. Die bürgerlichen Kaufleute werden von einem cynischen "Nudelhuber" vertreten; der typische Ästhet Waller und der Wissenschaftler, der "wunderbare Doktor" sind "verwildert in ihren Träumen", naiv-dumm und oder brutal im 'wirklichen Leben', - die von ihnen repräsentierten Zeittendenzen 'bedürfen keiner Diskussion'. Der werdende Revolutionär Frank mit seinem schwängernden Hexenblick ist ein "kalter Satanas" (125), ein "geistiger Verführer" (126), der "zu seiner Menschenkenntnis anatomiert" (191) und so Inbegriff jener, "die sich Europa in ihrem Kopfe zu einem schönen humanen Ganzen zusammengefabelt" (338). - Für sie alle gilt: "Je tiefer wir in uns versinken, Je näher dringen wir zur Hölle" (408). Ihr "Inneres" ist wie das des Ritters Brülar "von der Zeit fürchterlich zerrissen" (349), sie sind 'unheilbar' als Ausdruck heilloser Zustände "neuer Zeit" und so Gegenbilder einer 'heilen Welt' der "Vorzeit".

Die Sammlung satanisch-burlesker Typen um den Grafen und die Gräfin und das

Mittel der Groteske erweisen sich so wie die mythische Überhöhung derjenigen, die das Bestehende gut deuten, als Elemente in einem System von Abwehrmechanismen zur Stabilisierung einer romantisch-rückläufigen Ideologie. Frank, Nudelhuber, Waller sind bevorzugte Spielkameraden der Gräfin Dolores zur Zeit ihrer Verschuldung. Ihre Groteskheit mochte Arnim aufgrund der realen Vorbilder teilweise gerechtfertigt finden, - das Problem liegt in der Auswahl. Die Diskussion der "guten" Deutung des Bestehenden ist in ihrer Einseitigkeit reaktionär aufgrund der moralischen Disqualifizierung des Widerspruchs in den Gegenfiguren. Der Höllengeruch, in den sie vermittels des kritischen Vokabulars versetzt werden, hat einen tiefen weltgeschichtlichen Sinn: sie leben von den Äpfeln der Versuchung, von denen auch Dolores kosten wird und verbildlichen so die Ebene der "Verruchtheit" neuer Zeit, auf die sie 'fallen' wird. - Damit ist der Zusammenhang der Granate Proserpinas aus dem romantischen Unterreich der Kunst in den Gedichten mit der Handlung des Romans, soweit sie von den wichtigsten Figuren getragen wird, und seinen moralisch-politischen und geschichtsphilosophischen Grundsätzen hergestellt. Die Berechtigung, den "mystischen Apfel", der im romantischen künstlichen Paradies bei Arnim geistige Verblendung symbolisiert und in Mutterliebe und Kindesunschuld "versöhnt" werden muß, als Ausdruck einer Kritik bestimmter romantischer Tendenzen zu deuten, ergibt sich aus der pessimistischen Grundhaltung Arnims einer 'gefallenen' Menschheit gegenüber angesichts der Entwicklung der bürgerlichen Welt. In den Schwierigkeiten "der entarteten Zeit" (500) erscheint ihm der romantische Versöhnungsanspruch auf dem "Weg nach Innen" als Verrat seiner romantisch-politischen Grundsätze, - als Ausdruck spekulativer "Tätigkeit, die sich von der Erde ablenkt" und die "Zerstörung" bedingt (517)... Die Fürstin, deren Geschichte die Zitierung des "mystischen Apfels" veranlaßt, bekräftigt dies, indem sie ihre beinahe ritterlich-ideale Lebensweise aufgibt und sich von Proserpinens Gestein in die Hölle ziehen läßt.

II. DAS MYTHISCH-PHANTASTISCHE UND GROTESKE IN DER NOVELLENSAMMLUNG VON 1812

1. VORBEMERKUNG ZUR AUSEINANDERSETZUNG ARNIMS MIT GRIMMS ÜBER "KUNST- UND NATURPOESIE"

"Im Ganzen streitest Du mehr für die Menschlichkeit, ich mehr für die Göttlichkeit der Poesie, Du willst ihr überall ein unmittelbares Bedürfnis, eine nützliche Anwendung und Entspringung aus dem Leben zum Grunde legen" (Steig III, 254, Dez. 1812). - So faßt Jacob Grimm u.a. seine und Arnims unterschiedliche Ansichten über "Kunst- und Naturpoesie" zusammen. - Die Grimmsche Auffassung in diesem Zusammenhang und die Tradition, in der sie steht (etwa Schillers "Naive und sentimentalische Dichtung" oder Friedrichs Schlegels "objektive und interessante"), sind allzu bekannt, um einer ausführlicheren Darstellung zu bedürfen. Hier nur einige Stichworte zur Kontrastierung der Arnimschen Position. "Göttlichkeit" der Poesie ist für Grimm gleichbedeutend mit Entstehung aus dem Unbewußten, dessen Produkte insofern allgemeingültige oder nationale Bedeutung hatten, als Unbewußtes und 'kollektives Unbewußte' während der "goldenen Zeit" der "Naturpoesie" untrennbar waren. Die so entstehende Poesie drückt "gute reine Unschuld" und "recht göttliche Wahrheit" (Steig III, 219 + 234) aus, sie ist die eigentliche und wahre Dichtung und heißt deshalb Naturpoesie. Ihre historische Voraussetzung ist natürlich die vielgerühmte "Einheit" von Mensch, Natur und Gott einer "Vorzeit". Wichtigste literarische Zeugnisse dieser Vorzeit in Deutschland sind die Sagen, Lieder und Märchen des Mittelalters, mit dessen Auflösung auch die "Naturpoesie" verschwindet und von der "Kunstpoesie" abgelöst wird. "Kunst" ist im Verhältnis zur "Natur" ein Werturteil, heißt soviel wie gekünstelt, forciert und im schlimmsten Fall unwahr. Die "Natur-" oder auch "Volkspoesie" tritt aus dem Gemüt des Ganzen hervor; was ich unter Kunstpoesie meine, aus dem des "Einzelnen" (Steig III, 116), welcher der früheren 'Lebenstotalität' entfremdet ist. In ihr überwiegt das Raffinement oder das "Interessante" (wie Schlegel sagt). Die alte Dichtung ist vorbildlich, doch kann sie nicht erreicht werden. - Arnims Methode nun, die alten Sagen und Lieder abgeändert in seine Dichtungen einzuflechten und so das "Göttliche" seinen Ideen zu unterwerfen, empfanden Grimms beinahe als Sakrileg: "Du hattest kein Recht, den Urteilsspruch der ewigen Sage zu mildern", schreibt Wilhelm z.B. (Steig III, 99).

Arnim fand sich dagegen herausgefordert, 1. eben die 'Menschlichkeit' oder ein künstlerisches Produktionsinteresse aller Dichtung aller Zeiten und so 2. auch seine Anwendung alter Volkskunst zu verteidigen, die er nicht als die Zerstörung von etwas Vollkommenem, sondern als Aktualisierung wichtiger Ideen verstand: "Um die guten Leute, die Büchergelehrten, Antiquarier, habe ich mich nie bekümmert; am meisten hatte ich das werdende Geschlecht der jungen Kinder vor Augen, wie Hans Pfriem, und warf ihm Apfel und Mandelkern zu" (Steig I, 235), schreibt er 1808 an Brentano -. Nach Arnims Vorstellungen von einer 'gefallenen' Menschheit kann es keine reine göttliche Poesie geben: "weil es keinen Moment ohne Geschichte gibt als den absolut ersten der Schöpfung, so ist keine absolute Naturpoesie vorhanden" (Steig III, 134). Das produzierende Bewußtsein sei an seine historischen Voraussetzungen gebunden, d.h. daß "jede Zeit ihre Art Produktion hat" (Steig III, 250). Der Dichter sei nicht frei in der Wahl seiner Gegenstände, es sei "sehr unsinnig", von "freie Dichtung" zu reden, "gerade in der Art unsinnig, wie das, was sich manche unter Willensfreiheit denken; sie setzen die Unendlichkeit von Möglichkeiten und sich in der Mitte, und daß sie etwas ebensogut wählen können als das andere. So ist aber noch nie etwas in der Welt getan oder gedichtet worden" ... (Steig III, 244). - Die Begriffe "Kunst- und Naturpoesie" möchte Arnim daher in einem allgemeineren Sinne angewendet wissen: es sei "die Kunst das Ordnende, die Natur das Schaffende, vom Kindermärchen an bis zu Rammlers Oden ist ohne die eine und ohne die andre nichts zustande gekommen, nur bringt philosophische Ausbildung mehr Bewußtsein hinein" (Steig III, 401); "es ist immer nur ein Unterschied von mehr oder weniger in der Entwicklung beider" (Steig III, 134). Den Widerspruch beider Gattungen und ihre chronologisch-historische Zuordnung kann Arnim demnach als philosophische Spitzfindigkeit verwerfen: "Nach dieser meiner Überzeugung wirst Du es in mir begreiflich finden, daß ich sowohl in der Poesie wie in der Historie und im Leben überhaupt alle G e g e n s ä t z e , wie sie die Philosophie unsrer Tage zu schaffen beliebt hat, durchaus und allgemein ableugne" (Steig III, 110).

Der grundromantischen Position Grimms begegnet Arnim durchweg mit rationalistischen Argumenten. - "Mythische Zeit ist die Gewohnheit der Menschen, was sie allgemein geltend fühlen, doch im Einzelnen anschauen zu wollen, sowohl in Zeiten wie in Namen", zitiert er einen "älteren Schriftsteller". "In dem Worte liegt kurz, was ich immer gefühlt, aber nie so deutlich gegen epische Zeit, Naturpoesie etc. einzuwenden hatte" (Steig III, 245). - Mythos (Sage und Mythos brauchen Arnim und Grimms synonym) sei der "Zusammenhang der anerkannten Gedanken in der äußeren Welt" (Steig III, 248). Wenn z.B. die Völker die "Götterherkunft" ihrer Herrscher glaubten, so zeige das der Mythos, mit dem sie diesen Glauben "an ihre Königstämme als Wurzel annagelten" (Steig III, 249).

In der dichterischen Praxis nun folgt Arnim keineswegs konsequent diesen im Verhältnis zu Grimms eher aufklärerischen Einsichten. Sehr wohl in Ansätzen, wenn er demonstriert, wie Mythen entstehen, dem Satz entsprechend, sie seien, "wenn gleich ganz unwahr, doch das Wahrste, was ein Volk zur Darstellung seiner liebsten Gedanken hervorbringt" (II, 671). So kommt der junge Karl V. im Gartenhaus der Zigeuner vor den Toren der Stadt zur festen Überzeugung, daß es Geister gebe, nachdem Isabella in ungewöhnlicher Kleidung und von den "schwarzen Schlangen" ihrer Haare umgeben ihn aus dem Schlaf geschreckt hat: "solch ein Grauen wohnt in der Tiefe des hochmütigsten Menschen vor der unnennbaren Welt, die sich nicht unsern Versuchen fügt"... (II, 461-62). Ähnlich werden die Nonnen während des nächtlichen Umzuges in "Die Kronenwächter" durch den weißen Mantel des Baumeisters in der Kirchentür in ihren Ahnungen bestätigt, daß ein weißer Ritter umgehe... Hier wird also "das Grauen ... vor der unnennbaren Welt" episch dokumentiert, - es wird (mit Frau Hildegards Worten in "Die Kronenwächter") gezeigt, wie die "Lügenreden... in die alten Geschichten gekommen sind" (I, 530). Sie selbst kann ein Lied davon singen, es hat sich nämlich das Gerücht verfestigt, sie könne ihrer Dicke wegen den Turm, ihre Wohnung, nicht verlassen, während sie doch nur der Schwindel daran hindert...

Doch dieses Entmythologisierungsinteresse macht Halt vor den romantisch-ideologischen 'Grundwahrheiten', welche die alten Geschichten vermitteln, und es zielt keineswegs darauf ab, den irrationalen Charakter mythischer Wirklichkeitsdeutung grundsätzlich zu kritisieren. Im Gegenteil macht Arnim sich das mythische Verfahren zu eigen als Erklären von "Weltbegebenheiten" (Steig III, 204); eben dies ist das "Füllen" von "Lücken in der Geschichte", welches er im Vorwort zu "Die Kronenwächter" beschreibt und gegen Grimms verteidigt: "Wenn Ihr mir vorgeworfen habt, warum ich die Isabella gerade mit Karl V. in Berührung gesetzt, warum nicht willkürlich einen Kronprinz X. erwählt, darin liegt aber etwas Unwiderstehliches wie bei den Völkern mit den Mythen, die sie an ihre Königstämme als Wurzel annagelten, daß man es nicht lassen kann, dem, was der Phantasie mit einem Reiz vorschwebt, einen festen Boden in der Außenwelt zu suchen, wo das hätte möglich sein können" (Steig III, 249). Wieweit es sich dabei um legitime dichterische Methodik handelt, sei dahingestellt. Augenblicklich ist wichtig, daß in den phantastischen Erzählungen mythisch-magische Elemente aus Sage, Märchen und Legende beschworen werden, um soziale und psychologische Widersprüche als "Natur" synthetisieren zu können. Damit rekurriert Arnim in der dichterischen Praxis auf eben die in der theoretischen Auseinandersetzung mit Grimms in Frage gestellten 'Urwahrheiten' der Mythen, die "recht göttliche Wahrheit" vermittelten. Im Zentrum stehen jene Mythen, welche die Zeitgeschichte auf 'Urgeschichte' hin transparent machen können, die oberste Kategorie von Schuld und Sühne ist auch hier die Erbsünde, und das Verfahren der Vermittlung ist romantisch-symbolistisch. - Die beschriebene Entmythologisierung findet ihre Grenze an Arnims ideologischem Interesse, daß rationalistische Desription nur soweit zuläßt, wie sie die Synthetisierung sozialer und psychologischer Widersprüche vermittels des romantischen 'Einheits'-Begriffs nicht tangiert. Dieser Widerspruch ist für die phantastischen Erzählungen grundsätzlich konstitutiv: in der Rolle des Mythenbeschwörers oder Phantasten entzieht sich gewissermaßen der Dichter den Antagonismen der Realität, um sie als 'natürliche' zu zementieren und dem politischen Unheil die Heilung im 'zurück-zur-Natur' entgegenzusetzen. - Die Auseinandersetzung Arnims mit Grimms über "Kunst- und Naturpoesie" zeigt einmal mehr, daß progressive bzw. kritisch-aufklärerische Tendenzen in der Dichtung regressiv ideologisiert werden konnten.

2. DIE ERZÄHLUNGEN: MYTHOS UND GESCHICHTE

A. Übersicht

Mythisch-phantastische Elemente aus Sage und Märchen sind die entscheidenden konstitutiven Faktoren in drei Erzählungen der Novellensammlung von 1812: sie bestimmen die Kategorien der Bewußtseinsbildung und so das "Erklären" von "Weltbegebenheiten", das Arnim gegen Grimms als Zweck der Vermischung seiner "Geschichten" mit dem Historisch-Faktischen verteidigt (Steig III, 204). Die Konfrontation der legendären Zigeunerprinzessin Isabella von Ägypten mit Karl V. und ihre unglücklich endende Liebe erklären die spätere Rastlosigkeit des Kaisers, "seine übereilende Tätigkeit" (551), seinen "Mangel frommer Einheit und Begeisterung", aufgrund dessen er die "Trennung Deutschlands ..., indem er sie hindern wollte, hervorbrachte", und sein Betrug Isabellas, welche eben jene fromme Einheit und Begeisterung verkörpert, erklärt weiterhin, warum die Zeit seitdem vom "Alraun schnöder Geldlust", der sich in Karl "dämonisiert" und so das Unglück Deutschlands vor allem verantwortet, "fort und fort gereizt und gequält" wurde und wird (552). - Die unglückliche Liebesgeschichte der Melück, einer Magierin und Prophetin aus Arabien, erklärt, warum die französische Revolution in einem vernunftwidrigen Blutbad enden mußte: die höhere romantische Weisheit, die sie verkörpert und derzufolge die revolutionäre Entwicklung sozusagen der weltgeschichtlichen Vernunft widerspricht, ist - trotz der Bereitschaft, sich liebend und helfend und warnend hinzugeben - gegen die 'irdischen' Kräfte der Ratio und des Geldes machtlos, ebenso wie Isabella gegenüber Karl, dessen Umwandlung nach den Gesetzen der kindlichen, reinen romantischen Liebe mißlingt. - Die erste Geschichte erklärt so den Anfang einer Verfallsepoche, und die zweite beschreibt deren katastrophales Ende: relativiert auf die fromme Einheit und Begeisterung des Mittelalters, die Karl V. zerstört. Diese "Einheit" jener Zeit rühmt Arnim bei der Beschreibung der prachtvollen Leichenfeiern unserer "frommen Voreltern", die heute verachtet würden: "Wer wagt das Sonderbarkeit zu schelten? Es war Nebenäußerung jener Einheit, die uns in aller ihrer Geschichte anspricht, aber noch lebendiger in den Denkmalen ihrer vielhundertjährigen Andacht, die in den Kirchengebäuden alter deutscher Zeit vor uns steht. Welche

Einheit und Ausgleichung aller Verhältnisse, wie fest begründet alles an der Erde und doch alles dem Himmel eigen, zum Himmel führend, an seiner Grenze am herrlichsten und prachtvollsten geschlossen. Zum Himmel richtet die Kirche, wie betende Hände unzählige Blütenknospen und Reigen erhabener Bilder empor, alle zu dem Kreuze hinauf, das die Spitze des Baues, als Schluß des göttlichen Lebens auf Erden bezeichnet, das als die höchste Pracht der Erde, die sich dadurch zu unendlichen Taten begeistert fühlt, einzig mit dem Golde glänzt, womit kein andres Bild oder Zeichen neben ihm in der ganzen heiligen Geschichte, die der Bau darstellt, sich zu schmücken wagt" (553).

Die dritte der hier zu behandelnden Erzählungen, "Die drei liebreichen Schwestern und der glückliche Färber", ist eine Art Satyrspiel, eine heitere Umkehrung der beiden ersten ernsten Geschichten, ein Sittengemälde aus der Zeit Friedrich Wilhelm I. von Preußen, dessen historische Handlung zwar weniger spektakulär ist, doch nach den gleichen Erklärungskategorien funktioniert. Hier wird ein Einblick gegeben in die Vorzeit der preußischen Industrialisierung, und vermittels der tragi-komischen Liebesgeschichte des vom Schwarzfärber zum reichen Kaufmann und Tuchfabrikanten aufsteigenden Golno mit der ebenfalls phantastisch begabten Lene (und ihren Schwestern) wird Auskunft gegeben über die Entwicklung der Herrschaft des "Alraun schnöder Geldlust" in diesem relativ gemütlichen, von den großen Ereignissen der Geschichte abgelegenen Land.

Dieses "Füllen" von "Lücken in der Geschichte" vermittels Liebesgeschichten zwischen mythischen und 'wirklichen' Gestalten zum Zwecke der Erklärung sozialer Entwicklungen ist aus Arnims politischer Perspektive durchaus rational: der Verlust jener mittelalterlichen "Einheit", welche bekanntlich den ideologischen Ausdruck des Arnimschen sozialen Ideals darstellt, kann als Resultat einer 'mythischen Liebe' den Charakter der Versündigung an absoluten Normen erhalten und so den politischen Anspruch des Autors psychologisch-allgemeingültig widerspruchsfrei legitimieren, also als Forderung, sich diesen Normen doch wieder zu unterwerfen. Das setzt voraus, daß der "Apfel der Versuchung" als ewige oder 'natürliche' und zugleich als konkret-politische Macht fungibel und als täuschender Glückverheißer wie Initiator oder Bild alles irdisch-sündigen Elends deutlich wird, und daß drittens der paradiesische Bewußtseinszustand, dessen Kontrast er darstellt, ebenfalls real sichtbar oder inkorporiert wird, so daß zwischen Gut und Böse gewählt werden kann. - Dieses Verfahren der Geschichtsdeutung setzt natürlich analogisches Raffinement voraus und fordert große künstlerische Geschicklichkeit bei der Verbindung erotischer und politischer als mythische Symbolik. Am weitesten treibt Arnim dies Spiel in der "Isabella", wo die wunderschöne Zigeunerprinzessin zusammen mit dem "Alraun schnöder Geldlust" als Kontrast kindlicher Unschuld und irdischer Verruchtheit und Häßlichkeit und als Provokatoren der "politischen Menschen" (539) auftreten. Ihrer mythischen Herkunft nach sind sie ewige

Erscheinungen, sie wirken aber auch als gewöhnliche Erdenbürger, doch erhält diese Wirkung eben aufgrund ihrer mythischen Charaktere auch wiederum eine 'höhere' Bedeutung... Die anderen Erzählungen sind symbolisch einfacher, sind aber nach dem gleichen Prinzip organisiert.

Um der historischen Wahrheit willen, oder um die "Geschichte zur Wahrheit" zu läutern (wie es im Vorwort zu den "Kronenwächtern" heißt) romantisiert Arnim also seinen 'Realstoff' radikal, und so wird ein Stück europäischer Geschichte zum Welttheater als Spiel vom Sündenfall. Das ist der Sinn der Behauptung in der Zueignung der Sammlung an die Brüder Grimm, daß "viele Sagen in unsrer Zeit erst recht wieder tagen" (447). Der theoretisch begründeten Ansicht Arnims, daß der Dichter sich der historischen Notwendigkeit beuge, wird hier genügt: in jenem Anspruch auf "fromme Einheit und Begeisterung" der mittelalterlichen Mythen sah Arnim den Rettungsanker im "Gram über unsre Zeit" (512). Grimms Widerspruch war im Hinblick darauf ein ideologisches Mißverständnis. - Doch zurück zur dichterischen Praxis.

Die Hauptfiguren der drei Erzählungen sind also idealisierte Frauen, welche den romantischen Mythos der bekannten "Einheit" eines ursprünglich-reinen (kindlichen) Lebens repräsentieren, historisch wie psychologisch gesehen. Isabella ist die "einzige seit Jahrtausenden", die "mit ganzer Seele liebt, ohne Begierde zur Lust ihres Geschlechtes" (464), die also dem mythischen Unschuldsanspruch genügt, ohne deshalb auf den Genuß des Lebens verzichten zu müssen. Melück ähnelt ihr in der Unbedingtheit ihrer Liebe, - beide besitzen magische Kräfte - die reife Zauberin Melück in sehr viel höherem Maß als Isabella - als Ausdruck der "Sympathien" mit der Natur in der "Vorzeit". Beide kommen aus einem legendären Morgenland, dem geographischen Topos der romantischen Ursprungsmythen, - sie sind 'Fremde' (der "Fremdling" ist der Novalissche Dichter -) in Europa wie in der "neuen Zeit". - Lene ist geographisch gesehen weniger fremd, sie kommt aus dem Harz nach Stettin, doch verwandelt sich dies Gebirge in ihrer Kindheit in einen typisch romantisch-zeitlosen Symbolort. Sie flieht nämlich vor ihren harten Pflegeeltern in den Wald, wird dort von einem Alten, der sie für seine wiederauferstandene Tochter hält, aufgenommen und lebt fleißig und glücklich bis zu dessen Tod in vollkommener Einsamkeit, zufrieden mit sich, Gott und der Welt. Daß sie so Isabella psychologisch gesehen nicht nachsteht, zeigt sich darin, daß sie - hungernd und frierend auf der Flucht - das Sterntalermärchen erlebt, - dem Jesuskind ihr letztes Hemd anbietet und von der Muttergottes mit einem Sterntalerschatz feinster silberner Harzgulden belohnt wird. Auch sie ist also ein fromm-magisches Kind. Mit Melück verbindet sie noch besonders die Fähigkeit des Wahrsagens oder, wie sie es in ihrem Dialekt sagt, daß ihr alles mögliche "schwant".

Das Auftreten dieser Figuren gestaltet sich nun sozusagen als Test der erlösenden

Kraft romantischer Ideen in der europäischen Zivilisation "neuer Zeit". Das ist 1. eine erotische Frage: kann eine diesen 'höheren' Wesen würdige persönliche Bindung mit typischen Vertretern der Sphäre politischer Macht und der Erwerbstätigkeit hergestellt werden? Von hier aus kann 2. das Problem im Sinne des oben beschriebenen "Erklärens" von "Weltbegebenheiten" politisiert werden. - So verliebt sich die Zigeunerprinzessin in den Prinzen Karl; die Tochter eines Emirs, Melück, in den Großgrundbesitzer Saintree und die Magd Lene in den Schwarzfärberlehrling Golno. - Das Resultat dieser Verbindungen läßt sich wie die Behandlung der Proserpinamythen als Kritik der therapeutischen Ansprüche des Romantisierungsprozesses auffassen. Durch "Liebe und Poesie" wollte Novalis die Gemüter verwandeln, hier bei Arnim zeigen sich die 'guten' romantisch-mythischen Mächte gegen die 'irdischen' Gelüste der zu Beeinflussenden machtlos. Isabella, Melück, Lene werden durch die männlichen Gegenfiguren 'verraten' um der Macht, der Ehre und des Geldes wegen. Zwar besitzen sie ein Organ für die wunderbaren Eigenschaften ihrer Freundinnen; Karl fühlt sich in der ersten Liebesnacht "aus der gewohnten folgerichtigen Natürlichkeit in alle Wunder der Lust und der geheimen Kräfte in einer Nacht hineingerissen, ... er stand innerlich, wie ein Stern hinaufgerissen, über der Welt, mit der er bis dahin fortvegetiert hatte" (513). Durch die Sternmetapher wird er bildlich in diesem Augenblick Isabella gleichgestellt, deren kosmische Epitheta - ebenso wie Lenes - Mond und Sterne sind. - Auch Saintree empfindet ein unbestimmtes Glück, eine so wunderbare Freundin durch den Zufall gewonnen zu haben, und Golno arbeitet fleißig nach den Grundsätzen seiner Lene, ihren Schatz "himmlischer Taler" treu bewahrend, den er erhielt, um seine Karriere in ihrem Sinne aufzubauen. Doch dieser Hang zum 'Guten' und Außergewöhnlichen ist dem zum 'Bösen' unterlegen. Karl demütigt Isabella, indem er sie dem Alraun, den er zu seinem Finanzminister macht, an der "linken Hand" antrauen läßt, und er vermeidet es besorgt, durch die Verbindung mit ihr etwa seinen Thron zu verunsichern. Saintree hat es sehr eilig, sich aus den 'Fesseln' der Melück zu befreien, die ihn so irritiert, wie sie ihm überlegen ist und sein bisheriges glücklich-genormtes Leben durcheinander zu bringen droht. Golno schließlich erliegt gerade nach glücklicher Hochzeit dem Versucher in der Gestalt des Alchimisten Gundling und seines Goldelexiers, mit dessen Hilfe er die heiligen Silbertaler Lenes zu einem Körnchen Gold umschmelzen läßt: "Königreiche wollte er kaufen, seine Kinder sollten regieren, alles war aufgeregt in dem einen Menschen, was das Geld in ganzen Nationen an unseligen Begierden verderbt hat" (632).

Die Ausdrucksweise: sie ergeben sich dem 'Bösen' ist ein indirektes Zitat. Mit dem 'Verrat' der romantischen Mythenträgerinnen erweisen sich ihre männlichen Freunde nämlich 'sündenfällig' in mythischer Bedeutung, d.h. dem ewigen Fluch der aus dem Paradies vertriebenen Menschheit erlegen. Das wird bildlich-deutlich dadurch, daß ihr Schicksal in dem Augenblick des 'Falles', der natürlich gleichbedeutend ist mit dem Liebesgenuß, an jene mythisch-magischen Gestalten gebunden wird, welche die 'irdischen' Begierden der abgefallenen Menschheit symbolisieren. Das sind in Isabellas Geschichte der Alraun, also der geldziehende Wurzelmann, der Bärenhäuter und die Golem, das seelenlose Nachbild Isabellas, in dessen Armen Karl seine Lust befriedigt, nachdem er seine Unschuld verloren hat. Weiterhin die magische Kleiderpuppe der Melück, in welche Saintrees Herz übergeht nach dem Betrug und die seine Züge annimmt, eben zum Zeichen seiner 'Herzlosigkeit' gegenüber Melück. In Golnos Geschichte sind es die "Unterirdischen" persönlich in der Gestalt der geldsammelnden Heinzelmännchen aus dem Märchen. Latent von ihrem Einfluß bedroht zeigt sich der so naiv-brave Golno schon zu Anfang der Erzählung, als er von Lene für würdig befunden wird, die "himmlichen" Taler zu übernehmen. Gleich darauf gerät er in einen Streit mit anderen Färbern, - er muß aus dem Land fliehen und verflucht die Erde, die ihn geboren hat. Damit zeigt er sich bereits in "unterirdischer" Richtung problematisiert, wie am Ende vermittels Goldelexier klar wird. Zum Zeichen dessen bleibt ihm am Kopf, da wo der Färbergeselle ihn an einen Baum gestoßen hatte, ein Schmerz zurück: ein Sündenfall- und dann auch Wiedergeburtssignal ähnlich dem Kopfschmerz des tollen Invaliden auf dem Fort Ratonneau.

Als 'ewige' Mächte sind diese Verkörperungen des Bösen im Mythos 'zu Hause'. Als Verkörperungen 'irdischer' Gelüste sind sie nicht von Fleisch und Blut, obwohl menschlich (also äußerlich gesehen richtig funktionierende Menschen), sondern konkret aus irdischem Material: der "Alraun schnöder Geldlust" ist eine Wurzel, von Isabella unter der Erde hervorgeholt; die Golem ist aus Lehm; ähnlich hölzern-irdisch ist die Puppe der Melück, und Golnos 'Erdgeister' sprechen für sich selbst. Als 'ewige', mythische und zugleich in der konkreten politischen Realität wirksame Mächte sind diese Gestalten also Verkörperungen des "Sündenfalls", dessen Bedrohung sozusagen stets anwesend ist und mit der Entwicklung der Hauptfiguren das Geschehen bestimmt, bzw. die Entwicklung verhindert, denn die Figuren sind von vornherein durch den Grad der Faszination durch die mythischen Kräfte determiniert. Bei der Entstehung des Alraun wird auf die Sündenfall-Repräsentanz auch wörtlich angespielt. Er lernt nämlich sprechen (er wird ein großer Rhetoriker...) durch Verzehr der "Sprechwurzel, welche die grünen Papageien vom höchsten Gipfel des Chimbarossa in die Ebene bringen, wo sie die Baumschlangen von ihnen gegen Äpfel eintauschen, die am verbotnen Baume gewachsen" (473). Und bei der Schöpfung des Golem durch den alten Rabbiner wird das Geheimnis dieser Figuren noch einmal durch einen längeren Kommentar gelüftet: "Wenn es noch ein Paradies gäbe", sagt der Alte, "so könnten wir so viel Menschen machen, als Erdenklöße darin liegen, da wir aber ausgetrieben aus dem Paradies, so werden unsre Menschen um so viel schlechter, als dieses Landes Leimen sich zum Leimen des Paradieses verhält" (509). Dementsprechend wird die Golem zum Spiegelbild der gefallenen Menschheit oder genauer zum Inbegriff der Eigenschaften, welche den Fall verursachten und immer wieder verursachen, - als Isabellas, der "Reinen" seelenloses Abbild, das alles weiß, was Isabella bis dahin erfahren, "aber nichts Eigenes wollte, als was in des jüdischen Schöpfers Gedanken gelegen, nämlich Hochmut, Wollust und Geiz, drei plumpe Verkörperungen geistiger, herrlicher Richtungen, wie alle Laster; daß diese hier ohne die geistige Richtung in ihr sich zeigten, das unterschied sie selbst vom Juden, überhaupt von allen Menschen, die sie übrigens so wunderbar täuschen konnte, wie jenes alte Bild von Früchten alle Vögel, daß sie an die Leinewand flogen, und davon zu naschen suchten" (509-10). - Daß dann auch Karl sich von der Golem täuschen läßt, beweist, daß die "Unterirdischen" nun von seiner Seele Besitz ergreifen können. So demütigt er Isabella, als er sie nach langer Trennung wiederfindet, durch die Heirat mit dem Alraun, der am Ende, als Isabella mit ihrem Volk flieht, sozusagen als Surrogat der verspielten Möglichkeiten seiner Jugend ihn beherrschen und trösten muß: "Vielleicht wäre aus ihm nie der Unermüdliche, der nach allem griff, alles zu verbinden strebte, geworden, wenn ihn nicht das Geschick so rasch aus diesem Verhältnisse, das seine ganze Seele befriedigen konnte, herausgerissen hätte" (515). Das wird allerdings gesagt, bevor Karl der Golem begegnet ist.

Das Böse also siegt, jedoch nur auf der Realebene, die Vorbildlichkeit der romantischen Mythenträgerinnen, oder genauer die Idealität der 'höheren' Vernunft, welche sie verkörpern, bleibt unangetastet. So erklärt sich, warum auch hier wie in der "Gräfin Dolores" die Frage nach der Veränderung der Welt und des Bewußtseins primär durch die Buße, durch die demütige Unterwerfung unter die von den idealisierten Frauen vorgegebenen religiösen Normen beantwortet wird. Am klarsten drückt das Lene aus, nachdem sie das Goldelexier durchs Fenster geworfen und Golno mit einem gewohnten: "Werde er kein Narr" wieder zur Vernunft gebracht hat: er solle das Gold bewahren zur Warnung seiner Kinder, "daß der Mensch in seinem höchsten irdischen Glücke sich selbst am wenigsten vertrauen darf, sondern am meisten zu Gott beten muß, daß er die irdische Gewalt unter seinen Willen bändige" (633). - Auch Karl versucht nach diesen Grundsätzen vom "Alraun schnöder Geldlust", der in ihm "dämonisiert" ist, loszukommen, - allerdings ohne Erfolg.

Die Funktion des Mythisch-Phantastischen und des Grotesken als Verbindung von Pflanzlich-Irdischem und Menschlichem läßt sich demnach vorläufig so zusammenfassen: historisch konkretisierte Bewußtseinssituationen werden auf den Sündenfallmythos zurückbezogen und so unter Kategorien des Ewigen und Natürlichen determiniert. Das Phantastische ermöglicht die Inkorporation dieser Determinanten zur Herstellung einer Dialektik von mythischen 'Gesetzen' und Faktoren der psychischen und sozialen Realität. Der Sinn dieses Verfahres ergibt sich aus der

Zusammenstellung der konkreten politischen Ereignisse und Urteile aller Erzählungen, welche die Entwicklung Europas seit Karl V. als Verfallsprozess unter der Regie des "Alrauns schnöder Geldlust" beschreiben, welcher mit der französischen Revolution einen katastrophalen Abschluß findet. So wird deutlich, warum die Utopie der Erzählungen, die im romantischen Mythos einer Zeit der "Einheit" des Menschen mit Natur und Gott liegt, als Bußverfahren praktisch wird. Die Botschaft der phantastischen Dichtung ist die Unterwerfung unter die moralisch-sozialen Normen einer "Vorzeit". - Zum Beweis dessen soll im folgenden einer genauere Deskription der drei Erzählungen gegeben werden.

B. Isabella von Ägypten

Golddurst als Zeichen des Abfalls von Gott und Buß- oder Erlösungssymbolik sind die konstitutiven Faktoren der Erzählung. Ihr mythologischer Ausgangspunkt ist folgender: die Zigeuner verweigerten der Mutter Gottes und dem Jesuskind Obdach auf der Flucht nach Ägypten, "weil sie nicht die Augen des Herrn ansahen, sondern mit roher Gleichgültigkeit die Heiligen für Juden hielten, die in Ägypten auf ewige Zeit nicht beherbergt werden, weil sie die geliehenen goldnen und silbernen Gefäße auf ihrer Auswanderung nach dem gelobten Lande mitgenommen hatten. Als sie nun später den Heiland aus seinem Tode erkannten, den sie in seinem Leben verschmähthatten, da wollte die Hälfte des Volks durch eine Wallfahrt, so weit sie Christen finden würden, diese Hartherzigkeit büßen" (454). Arnim überträgt also den jüdischen Bußmythos auf die Zigeuner. Warum?- Es gibt eine ganze Reihe von Hinweisen darauf, daß er die Juden wegen ihres Verhältnisses zum Geld nicht für würdig hielt, als Träger religiöser Heilshoffnungen zu fungieren. Am deutlichsten wird das in "Die Majoratsherren" (1820), wo die Jüdin Vasthi zum Inbegriff des "Kredits" wird als des Prinzips, welches die bürgerliche "neue Zeit" beherrscht. Dieser alten Jüdin werden alle Verachtung und aller Hohn aufgeladen, die Arnim je in seinen grotesken Figuren erfunden hat, sie ist Alraun, Golem, Bärenhäuter, Hexe, Vieh und Todesengel in einer Person. Entsprechend hat die Golem "ein gemeines jüdisches Gemüt" (523), selbstredend als Geschöpf des Rabbiners, dessen Hochmut, Wollust und Geiz ihren Charakter bestimmen. Das sind aber eben die Erbübel der gefallenen Menschheit, die also nach Arnim den jüdischen Charakter sozusagen aufgezehrt haben. Als psychologischer Ausdruck des kommenden Kapitalismus, der im Alraun als dem bösen Dämon einer künftigen Welt inkorporiert ist, enthält dieser typisch jüdische Charakter natürlich keine Aussicht auf Besserung, er kann demnach auch nicht die Sühne des Golddurst-Fluches vermitteln. So erscheint es logisch, daß der biblische Bußmythos auf die Zigeuner übertragen wird, die in der Freiheit der Natur dem 'Ursprung' so viel näher sind, - sie kennen "nur die Herrlichkeit der Armut, die alles besitzt, weil sie alles verschmähen kann" (548), wie es von Isabella heißt, als sie Karl zu verlassen beschließt. Noch logischer wird dieser Antisemitismus unter Berücksichtigung der Schwierigkeiten, die Arnim während der Zeit, als seine Güter noch verschuldet waren, mit dem Geld im allgemeinen und jüdischen Kreditoren im besonderen hatte. So schreibt er beispielsweise an Grimm: "Sei froh, daß Du nicht wie ich Deine beste Zeit zu Advokaten und Juden verlaufen mußt, um mir und meinen Creditoren das Leben zu fristen" (Steig III, 240-41, Nov. 1812).

Die Zigeuner, die ihren Sühnegrundsätzen treu bleiben, geben so gewissermaßen ein weltgeschichtliches Beispiel für die mögliche Wiedergeburt der verlorenen Unschuld der Menschheit, indem sie mythische Verschuldung und praktische Sühne in der Gegenwart der Zeit repräsentieren. Ihre Wanderung ist beendet, doch zurück nach Ägypten können sie nach einer Weissagung erst dann, wenn eine Prinzessin im Morgenland von einem Herrscher im Abendland ein Kind bekommt und den Zigeunern so den Schutz des Herrschers für die Rückfahrt sichert. Dies Kind der wiedergewonnenen Unschuld oder das Erlöserkind ist das sichtbare Zeichen der praktischen Realisierung der Befreiung vom Fluch. Seine Mutter kann nur Isabella werden, welche "die einzige seit Jahrtausenden" ist, die "mit ganzer Seele liebt, ohne Begierde zur Lust ihres Geschlechtes" (464) und die "tief innerlich unschuldig" (509) bleibt auch nach sexuellem Genuß. Sie wird so in eine gewisse Analogie zur heiligen Mutter Gottes gebracht. Die kosmisch-heilsgeschichtliche Erlöserfunktion ihres Kindes wird u. a. dadurch zum Ausdruck gebracht, daß es als Resultat einer "besondern Sternenjunktur zwischen Mars und Venus" (556) erscheint, womit also der 'höhere' Sinn der Verbindung Karls mit der Sternmetaphorik Isabellas in der Liebesnacht erklärt ist.

Isabella ist die geglückte Synthese aus Heiliger und Mensch, als "reines Bild des jugendlichen Lebens" (556) verkörpert sie die romantische idealisierte Einheit von Mensch, Gott und Natur oder von Intuition und Ratio etc. - Sie ist das vollkommene Gegenbild zum verdorbenen 'Gesellschaftsmenschen', sie ist zu Hause in der Einsamkeit der Wälder, in der Nähe der Zivilisation lebt sie zufrieden in Armut und in der Abgeschiedenheit vor den Toren der Stadt, - in einem als Gespensterherberge verrufenen Gartenhaus. Sie schläft tagsüber und lebt nachts, - ihr Gestirn ist der Mond: "Braka, die alte Zigeunerin im zerlumpten roten Mantel, hatte kaum ihr drittes Vaterunser vor dem Fenster abgeschnurrt, wie sie es zum Zeichen verabredet hatte, als Bella schon den lieben vollen dunkelgelockten Kopf mit den glänzenden schwarzen Augen zum Schieber hinaus in den Schein des vollen Mondes streckte, der glühend wie ein halbgelöschtes Eisen aus dem Duft und den Fluten der Schelde eben hervor kam, um in der Luft immer heller wieder aus seinem Innern heraus zu glühen" (452). So beginnt die Erzählung. Und in allen entscheidenden Augenblicken ihres Lebens werden dann Mond und Sterne sie bestrahlen. Dabei ist wichtig festzuhalten, daß die 'Höhe' dieser Symbole mit ihrer hohen Geburt als Tochter des Fürsten Michael von Ägypten durchaus zusammenhängt: "Es lag ihr die Hoheit ihres ägyptischen Stammes im Blute und sie sah zu den Sternen zutraulich als zu ihren Ahnen"... (483-84).

Die Weissagung, der sie unterliegt, zeigt sich funktionskräftig, als Bella und Karl sich auf den ersten Blick während seiner Gespensterherausforderung ineinander verlieben. Damit ist ihre Ruhe dahin; um ihrer Liebe willen muß sie nun die Sphäre kindlichen Friedens verlassen, um sich Karl in der Stadt nähern zu können. Das heißt, Bella muß gewissermaßen den Sündenfall nachholen, sie muß ihre Liebe befriedigen und sie braucht - Geld. Braka klärt sie mit ihrem Hinweis hierüber auf, sie wisse nur ein Mittel, "um in der Stadt herumwandeln zu dürfen", nämlich "viel Geld zu haben, da kann man eingehen, wo man will, das ist der wahre Hauptschlüssel, die wahre Springwurzel, bei deren Berührung die Türen aufspringen" (463).

Die Entstehung des Alrauns, mit dem dies Mittel beschafft werden soll, wird durch eine ganze Reihe von Symbolen als erotischer, also immer wieder gültiger Vorgang untermalt. Die alte Geschichte, nach der aus dem herabgefallenen Samen eines Gehenkten unter dem Galgen der Galgenmann entsteht, hat Arnim abgemildert. Dieser Galgenmann wächst dort, wo Fürst Michaels letzte Tränen hingefallen sind, die ebenfalls auf den Fluch des Golddurstes, die Erbsünde verweisen, denn Michael ist ein Opfer der "Reichen ..., die ein Menschenleben gegen die Sicherung ihrer toten Schätze gering achten" (455), - ein Opfer der flämischen Bürger und einer falschen Anklage wegen Diebstahls. - Liebes-, Fall- und Goldsymbolik gehen also wie immer ineinander über; so begegnen Isabella auf dem nächtlichen Weg zum Galgen allerlei Liebhaber, - Äpfel, welche Stachelschweine sich auf dem Rücken "angestachelt" haben, kommen ihr in den Weg und eine "Zahl von Pferden" jagt bei ihrer Annäherung über Busch und Hekken davon (467). - Isabella überträgt ihre Liebe zu Karl auf den kleinen Wurzelmann wie früher auf ihre Puppe, sie pflegt ihn wie "eine Mutter ihr Kind" (468), - ist so aber auch schon an die 'irdischen' Gewalten gebunden: "So fröhlich und ernstlich zugleich begann sie dies Werk, ein Wesen zu schaffen, das wie der Mensch seinen Schöpfer bis an sein Ende sie betrüben sollte" (469). Um dieses Werkes willen begeht sie ihre erste Sünde, sie lügt Braka an über das Verschwinden des schwarzen Hundes, dabei "sah sie seitwärts auf ihre Arbeit nieder, sie schälte Äpfel" ... (470). In der Verlegenheit, wie sie den Kleinen ernähren soll, legt sie ihn einer Katze an die Zitzen, die gerade gejungt hat. Und schon sieht der Wurzelmann sie "spöttisch" an (477), als wüßte er, was Bella erwarte, nämlich die Angst, ihr Geschöpf könne zu kurz kommen, welche sie zu ihrem ersten Unrecht führt: sie ertränkt eines der Kätzchen, das dem Alraun die Milch streitig zu machen scheint. Sie "fühlte, daß sie gesündigt ... und weinte". Der

Wurzelmann aber fängt "an der Brust der Katze laut zu lachen an" (472), und seitdem begegnet er ihren Leiden mit "leeren spottenden Einfällen von allerlei Neckerei, die er der Welt antun möchte, um sich zu unterhalten" (473). Bella versucht, sich des kleinen furchtbaren Teufels zu "entledigen", aber durch das "ahndende Augenpaar" in seinem Nacken durchschaut er sie, droht ihr, und sie erschrickt vor seiner "Allwissenheit" und ihrer Hilflosigkeit (474). Überhaupt besitzt die Wurzel eine überlegene Intelligenz: "Es war, als wenn er schon einmal gelebt hätte, so schnell wurde er durch eine kurze Erinnerung mit allen menschlichen Verhältnissen bekannt. Bei verwachsenen Kindern findet sich häufig ein Ansatz zu dieser fatalen Gescheitheit..." (475). - Freilich, dieser Alraun ist nicht erst 'von heute'; "sein gelbfaltiges Gesicht schien entgegengesetzte Menschenalter zu vereinigen" (471), - er ist uralt und doch wieder jung.

Der Alraun ist kurz das den Menschen seit seiner Vertreibung aus dem Paradies quälende Böse, Symbol des Eros und des Wissens und des romantischen irdisch-unterirdischen Geistes oder die Tatsache, daß der Mensch das Gold, "die harte Gewalt der Erde zu seiner Hilfe brauchen muß, die ihn notwendig herabzieht und vernichtet" (473). Als Symbol der Gewalt weist er sich aus, indem er sich den Namen Cornelius Nepos gibt und seitdem vor allem nach militärischen Ehren strebt: "Nichts unter allem ... reizte ihn so mächtig, als ein Kommandostab" (475). Und als absoluter Egozentriker leistet er sich zur Erklärung seiner Identität eine Anspielung auf Fichte: " 'Bist du denn ein Geist oder ein Mensch lieber Cornelius?' fragte Bella. 'Ich', stammerte der Alraun, 'das ist eine dumme Frage, ich bin ich und ihr seid nicht ich, und ich werde Feldmarschall und ihr bleibt, was ihr waret' " (483). -

Dem "geldbringenden Geist" (551) gesellt sich dann noch der aus dem Mythos ebenfalls heraufzitierte Bärenhäuter, der Urtypus des Geizes und der Gewissenlosigkeit, und mit Hilfe dieser Gestalten kann Isabella endlich 'die Zivilisation' erobern. (Die Geschichte des Bärenhäuters wird hier der Kürze halber übergangen. Er steht aus dem Grab auf und folgt dem Alraun als dessen Diener in der zeitlichen Gegenwart, um seinen von dem entdeckten Schatz sich wiederzuverdienen, - entsprechend der Tatsache, daß er in der Ewigkeit ohne sein Geld keine Ruhe finden kann. - Sehr witzig erklärt Arnim ihn später als das Urbild des falschen Zeugen aufgrund seiner Identitätsspaltung: sein toter Teil, der bereits also der Ewigkeit angehört, zwingt ihn zum Gehorsam dem Alraun gegenüber, - als zeitlich-reales Wesen hat der die Möglichkeit, Buße zu tun und Isabella zu folgen. So geht sein Zeugnis vor Gericht schließlich immer gleich Null auf... Interessant ist der Bärenhäuter auch deshalb, weil er in der von Arnim ausgebauten alten Erzählung zum Instrument des Teufels wird, der sich zwei Töchter des Papstes, nämlich Vergangenheit und Zukunft mit seiner Hilfe holt, während der Bärenhäuter selbst die Gegenwart bekommt...). - So verläßt Isabella das Paradies ihrer Kindheit. Sie nimmt traurig Abschied und seufzt: "Ist unsre Schuld noch nicht gebüßt". Und "rings um den Mond erblickte sie einen wunderbaren farbigen Kreis, daß ihr Herz aufjauchzte und ohne Worte betete ... Die Sehnsucht nach der Freiheit bewegte sie", doch sie wird mit Gewalt weggerissen (484).

Die Fortsetzung der Erzählung läßt nach dieser Exposition keine Überraschungen mehr zu. Bella tritt ihre Reise in 'die Welt' unter absoluten Voraussetzungen an, dem das Geschehen sich anpassen muß. Einerseits muß die Weissagung erfüllt werden, andererseits ist das nur mit der Hilfe eines Geschöpfes möglich, daß sie wie der Mensch den Schöpfer bis an ihr Ende quälen, also ihr die reine Liebe Karls entwenden wird. Zum Zeichen, daß er mit dem Eintritt in die Zivilisation ihr Geschick steuert, hängt der Alraun bei der Einfahrt nach Gent ihr eine schwere goldene Kette um, mit deren Hingabe sie sich später von den Normen der Gesellschaft wieder losmacht. Durch die rhetorischen Künste und den militärischen Ehrgeiz des Alraun wird der Kontakt mit Karl hergestellt. Und obwohl Karl sie wirklich liebt, opfert er sie schon in der ersten Liebesnacht seiner Lust verdächtig rasch aus dem Wunsch, "sich zu rächen, weil er sich betrogen glaubte" durch das Verhältnis des Alraun zu Isabella (524). Damit ist die Entscheidung, vor die Isabella ihn gewissermaßen mit der Darreichung des Apfels der Versuchung stellte, bereits zu ihren Ungunsten gefallen. Die Golem tritt auf, Karl verfällt ihr. Zwar fühlt er eine Unbefriedigung bei ihr, doch ihn zieht "eine unwiderstehliche Begierde zu diesem Golem. Es war ein Drang andrer Art, als er geahndet, aber er konnte ihn doch nicht abstreiten, nicht zurückweisen; auch konnte er nicht leugnen, daß diese Empfindung etwas Bestimmtes, etwas Mögliches forderte, während jene sich vielleicht ins Unendliche traumartig ausblühte; ja in diesem Zwiespalte seines Gemütes schien ihm das Wesenlose, das Ungewisse in jenen hohen Freuden leer und verächtlich gegen diesen erkannten Sieg seiner Sinne" (528-29). Isabella wird dagegen in tiefster Demütigung angesichts der 'irdischen' Gelüste, im Bordell bei Frau Nietken, frei von den Gewalten, die Karl, seitdem er sie unwissentlich dort zurückgelassen hat, beherrschen. Sie kauft sich frei mit der Kette des Alraun, verläßt die Stadt und fällt in einen krampfhaften tiefen Gesundheitsschlaf auf freiem Felde. Ihr Vater Michael erscheint ihr im Traum und verkündet ihre Befreiung vom Einfluß des Alraun und erklärt die Buße ihres Volkes für vollendet. - Ihre Leiden sind damit noch nicht beendet. Wieder in der Nähe Karls in den Kleidern eines Dieners, muß sie ihm die Fackel voraustragen zum Golem Bella. Karl erkennt sie nicht, die Übernahme der Königsherrschaft beschäftigt ihn. "Der magnetische Kreis der nahen Herrschaft bewegte Karls herrschendes Gemüt so unruhig, wie ein Nordlicht die Magnetnadel; dabei war er so in sich versunken, daß er keinen Blick auf Bella warf" (530). Isabella findet gleichzeitig Trost im Gedanken an ihre Sendung, "der Mond an dem hohen pyramidalen Kirchturm" gemahnt sie an Ägypten und ihr Volk (533), und das Bild der Mutter Gottes in der Nische des Hauses der Golem "nickte ihr freundlich zu"... (543). - Karl erkennt dann doch noch die Golem, tötet sie, aber für Isabella ist die glückliche Vereinigung mit dem Geliebten ohne Erniedrigung nicht mehr möglich, da Karl einmal in Sünde und Machtträume verstrickt ist: "wie sollte er den Jugendträumen seiner Herrscherlust entsagen?" ist Arnims lakonische Zusammenfassung (550).

Isabella verläßt ihn und folgt dem Ruf ihres Volkes in die Freiheit, als Karl sie im Schlaf von sich stößt, weil er träumt, er stolpere über die goldenen Ketten des Alraun, mit denen er die ganze Welt unterjocht hält. Sie deutet diese Geste zwar falsch, doch hätte sie an seiner Seite niemals ihre Mission erfüllen können: "Sie war doch in Europa wie die fremde Blume, die sich nächtlich nur erschließt, weil dann in ihrer Heimat der Tag aufgeht" (548). - Sie handelt also ihrer Natur gemäß, indem sie ihr Volk nach Ägypten zurückführt. - Damit nimmt sie die Utopie der Erzählung aus der Realität Europas mit ins legendäre Ägypten, wo sie sich und dem romantischen Gedanken treu bleibt und große Leistungen beim Aufbau ihres Landes vollbringt. Die Welt Karls fällt der Herrschaft des Alrauns anheim.

C. Melück Maria Blainville, Die Hausprophetin aus Arabien

"Wenn Bella sich erhebt wie der Komete, So sinket Melücks Stern als Hausprophete" (557), heißt es unter anderem in dem Verbindungsgedicht zwischen beiden Erzählungen. Warum? - Melück bleibt unangetastet von der Kritik als Repräsentantin jenes romantisch-weltgeschichtlichen Wissens, welches ihr die Erkenntnis ermöglicht, daß mit der französischen Revolution nicht das "Reich der Vernunft" (557), sondern das Reich der Unvernunft, der Geldgier und der Totschlägerei eingeführt würde. Dafür belobt ihr Autor sie als jemanden, der "Prophet einer ganzen abendländischen Welt für Jahrhunderte" (584) hätte werden können. Doch im Gegensatz zur reinen Isabella kann sie nicht auf der "Höhe" eines Prophetensessels, "im Überblick einer Welt" (556) große Taten vollbringen, weil sie nicht wie Isabella "schuldlos erfunden im kleinen Kreise" (555) ihrer Liebe wird. - Melück vermag nämlich nicht Unschuld und Liebe miteinander zu vereinen. Sie läßt sich hinreißen in Leidenschaft und mißbraucht ihre morgenländisch-magischen Fähigkeiten, indem sie den 'Verrat' des Geliebten rächt, - ihm mit einem Blick das Herz herausreißt und es in ihre Kleiderpuppe versetzt, welche allmählich vermittels ihrer Künste die Züge Saintrees annimmt und sie in ihrer Einsamkeit trösten muß, wie etwa die Puppe aus dem Leimen des Golem den Alraun und dann auch Karl. - Als mythisches Wesen, das sich den 'irdischen' Verstrickungen nicht entziehen kann, stellt Melück die tragische Variante von

Isabellas Geschichte dar. Das Motto der Erzählung ist ein Satz aus der "Gräfin Dolores": "Das ist das Fürchterlichste, was wir lieben. Ach, warum lieben wir, was furchtbar ist" (558). Melück ist der gefallene Engel, und ihre Erzählung ist die Geschichte der ewigen Niederlage der politischen Weisheit gegen die Begierden. Das ist natürlich ein so vernichtendes wie verständnisvolles Urteil über die französische Revolution und die bürgerliche Zeit. Gott kann, wie es in der "Isabella" heißt, nur ewig Leiden von seinen geliebten Geschöpfen erfahren, - Melück, welche die ganze romantische Weisheit morgenländischen Ursprungs zur Verfügung hat, kann nicht einmal die "Spekulationen" von einem kommenden Reich der Vernunft (557) in eine bessere Richtung lenken; - wie sollten da die gewöhnlichen Erdenbürger, welche den romantischen Mythenträgern negativ entgegengesetzt werden, die "Krankheit" des Umsturzes aufhalten können? Auch hier gilt, was Arnim über Karls 'Fall' bemerkt, es hätte eines Heiligen auf dem Thron der Zeit bedurft, um ihre Schwierigkeiten zu meistern... Melück erfüllt also entsprechende Erwartungen auch nicht, "durch Leidenschaft" (584) kommt sie der Hölle nahe und verliert so ihre weltumspannende Funktion... Wie immer bei Arnim gilt hier die aufklärerische Leistung recht wenig, und der Klassenkampf rückt bestenfalls als Ausdruck eines Erbübels, jedoch, wie sich zeigen wird, nur am Rande ins Blickfeld der Betrachtung.

Bildlich-symbolisch wird Melück so mit den bekannten 'unterirdischen' Gottheiten in Verbindung gebracht, mit der Bergkönigin und Proserpina. Im Gegensatz zu Isabella, deren geographischer Charaktertopos die freie Natur ist, ist Melück in einem künstlichen morgenländischen Paradies zu Hause, und ihre Leitbilder sind nicht Mond und Sterne sondern Gold und Kristalle der 'Unterwelt'. Die Künstlichkeit ihres Reiches ist auffällig, es hat etwas Forciertes, Schauspielerisches, es ist geschwängert mit Wollust, und die üblichen erotischen Symbole fehlen nicht. Die typischen Züge romantischer Traumreiche werden hier wiederum als gefährlich-verführerische und 'unnatürliche' übertrieben. Zum Vergleich einige Topoi aus den Heimatträumen der Morgenländerin Zulima im "Ofterdingen" (in deren Gestalt Heinrich das "Land der Poesie, das romantische Morgenland" begegnet): Zulimas Morgenland ist voller "Lustgebiete ... voll kristallener Quellen ... Balsamwellen, Früchte, Blüten, tausend bunte Sänger". "... wie Kolonien des Paradieses voll frischer Quellen, die über dichten Rasen und funkelnde Steine durch alte ehrwürdige Haine rieselten"[1]. - So wird Melücks verführerisches Zauberreich beschrieben: "... zauberte eine morgenländische Frühlingsluft vor alle Sinnen. Der ganze Grund des Zimmers bestand aus Rosen, die auf Gold gemalt waren; was am Boden nicht als Teppich glänzte, war Ruhebette aus dem buntesten weichsten Wollenzeuge. Sanfte Glockenspiele

1) Novalis, Werke, Briefe, Dokumente, hsg. von E. Wasmuth, Heidelberg, 1953-57, Bd. I. S. 70 + 68

wurden von den Vögeln in angenehmen Akkorden bewegt, wenn diese zu ihrem Futter, das dazwischen verborgen war, flogen; in einem Kristallbecken spielten unzählige Goldfische und ließen sich an der Oberfläche von den abgerichteten Kanarienvögeln füttern ... Der Graf war über diese Tierchen in Entzücken. Er glaubte noch nach ihnen zu blicken, als er schon mehrere Minuten bloß nach dem Gesichte der Melück gesehen hatte, das im Wasserspiegel so wunderherrlich erschien... Das Zimmer war so duftig, blumig, weichlich, in Melücks Händen zerfloß sein sanftes Herz..." (566).

Die Hauptlinien der Erzählung sind in Kürze folgende: ein türkisches Schiff wird auf dem Mittelmeer von Maltesern verfolgt, die selbst den Hafenfrieden in Marseille zu brechen drohen, "als eine hohe weibliche Gestalt am Bord desselben erschien und sie in französischer Sprache anflehete, einer armen Seele zu schonen, die in den Schoß der christlichen Kirche sich zu retten wünsche" (558). Man ist äußerst beeindruckt, St. Lük, der Anführer, verliebt sich auf der Stelle in Melück, - womit bereits klar ist, daß der besonderen Wirkung dieser "wahrhaft morgenländischen Seele" (584) die 'Lust' im Wege stehen wird... Melück geht ins Kloster (sie nimmt den Namen Maria an und von ihrem Beichtvater den Namen Blainville), - verläßt es aber bald wieder. Sie erklärt später - nach ihrem 'Fall' - auf die Frage, warum sie nicht im Kloster geblieben sei, da sie alles vorauswüßte: "weil jene frommen Seelen durch die Stifter des Vernunftreiches geschändet werden; wo ich aber gefehlt habe, da wollte ich es aus freiem Willen, und weiß mich selbst dafür zu strafen" (578). Offenbar drängt es sie nach Aktivität, vielleicht will sie auch nur vergessen, - sie stürzt sich ins Gesellschaftsleben. Die Männerwelt liegt ihr zu Füßen und nur durch ihre überlegene Klugheit und ihre magischen Künste kann sie sie auf Abstand halten. St. Lük versucht sie beispielsweise durch ein Schlafmittel im Wein zu betäuben, Melück aber vertauscht geschickt die Gläser, so daß er selbst zum Gespött der anderen aus dem Zimmer getragen werden muß. - Ihre beste Freundin wird eine Schauspielerin, die Melücks Schauspielertalent entdeckt. - Man könnte sagen, nachdem die Kirche ihr nichts mehr zu bieten hat, versucht sie als Künstlerin zu wirken, doch sie scheitert an der Liebe. Als Schauspielerin scheint sie Großes leisten zu können, niemand ist ihr gewachsen außer - Saintree, der König der Gesellschaft. Er pflegt mit einem blau-seidenen Rock, auf den seine Verlobte Mathilde letzte Abschiedstränen geweint hat, 'aufzutreten' und den Leuten seine Rührung beim Gedanken an sie zu zeigen, wobei nicht auszumachen ist, ob er spielt oder wirklich so erlebt. In ihn verliebt Melück sich, offenbar als den Überlegenen, - oder aus welchen Gründen immer: "selbst ihre Klugheit täuschte sich in der Liebe" (567). Im morgenländischen Garten ihres Hauses verführt sie dann Saintree, nachdem der Rock, das nebenbuhlerische Liebespfand, an der Kleiderpuppe festgeklemmt ist.

Kaum aus dem wunderbaren Zauberreich entlassen, weiß Saintree nicht mehr, wie ihm geschehen, "seine Mathilde stand vor ihm" (556) und er bekommt ein schlechtes Gewissen. Doch "eine gefällige Theorie war schnell fertig. Er behauptete, die ganze Welt sei von zweierlei Liebe besessen; unbeschadet der höheren, glaubte er sich der Araberin in dem niederen Sinne ergeben zu können, wenn es Mathilden nur verschwiegen bliebe" (567)... So besucht er Melück wieder, erbittert sie aber durch die Brutalität, mit der er sie seiner Theorie anpaßt, - auch sind gegen "diese besondre Natur" (568) die üblichen Tricks, Liebeshändel aufzuheben, wirkungslos.

Saintree versäumt also im Gegensatz zu Karl seinen 'Golem' rechtzeitig zu töten, und das Laster wächst ihm, wie Golems zu tun pflegen, über den Kopf und begräbt ihn schließlich unter sich. Gezwungen von Mathilde pfeift er Melück während ihres Debüts auf dem Theater aus, sie reißt ihm das Herz heraus und Saintree welkt dahin. - Frenel, ein Wissenschaftler und Freund, löst das Rätsel: Saintree kann leben, wenn Melück zu ihm zieht und er den Rock zurückerhält. Alle bereuen, - sind glücklich vereint, Melück leitet den Haushalt prophetisch und Mathilde ist stolz auf ihre wunderbare Freundin, obwohl sie Kinder mit morgenländisch-schwarzen Augen und Haaren bekommt: so werden wie in der "Gräfin Dolores" in den Kindern die widerstreitenden Leidenschaften der Erwachsenen versöhnt.

Doch - "die Geschichte begnügt sich aber nicht mit schönen Bildern des Glücks" (576). Die Revolution steht vor der Tür. Melück, durch Leidenschaft an diese Familie gefesselt, möchte kraft Prophetie wenigstens ihre Freunde retten, die wie Frenel an "eine allgemeine moralische Volksbildung" durch die Aufklärung und an das kommende "Reich der Vernunft" glauben. Melück warnt: "Reich der Vernunft? Wie soll die Vernunft in einem Augenblicke in die Welt kommen, nachdem sie in den tugendreichsten, tätigsten Jahrhunderten sich nur immer als eine seltne Fremde gezeigt hat, die sich kaum der drückendsten Not verständlich machen konnte, und sich eben in der Begründung dieser Abstufungen weltlicher und geistlicher Gewalt zuerst äußerte. Denkt daran, daß diese Unterschiede unter Menschen notwendig waren, gegen die wir als Zwerge anzusehen im Schaffen und Entsagen. Was soll die Vernunft zu einer Tätigkeit erheben, wenn die vernünftigsten Menschen, die ihr auf Erden achtet, nichts tun und vollbringen, als Spekulieren... Ich sage euch, ... eure hohe Bildung gibt gerade dem höchsten Verderben ... den größten Spielraum ... so werdet ihr vom rohen Haufen tausendmal überschrien werden" (577-578).

Prinzipiell stimmt sie mit ihrem Autor überein, der das Familienglück so aufhebt: "In dieser Ruhe waren beinahe acht Jahre vergangen, ehe der Wunsch nach Erneuerung aller Verhältnisse des Landes, um gewisse Lieblingsgrillen einiger Schriftsteller zu verwirklichen, die Aufmerksamkeit von der notwendigen historischen Entwickelung jedes Volkes ablenkte, und die Besseren zum Spiele der niedrigsten Bosheit machte" (576). Saintree, der glaubt, diese "Besseren" unter den Revolutionären würden ihn schützen, da er seit je einen Teil seines Vermögens für die Ärmeren hergegeben hat, hält Arnim entgegen: "Diese Ärmeren sind es aber keineswegs, die gewaltsame Revolutionen der Staaten aufgären, es ist irgend eine Mittelklasse, die über ihre Verhältnisse hinausgewachsen, die höhere nicht erreichen kann, ohne den allgemeinen Vermögensstand und die Ehrenverhältnisse der Nation zu verwandeln" (579). So wird die feudale Gesellschaft und ihr 'organischer' Wandel gegen das Bürgertum verteidigt, und der bekannten maßlosen Überschätzung intellektueller "Verführung" entsprechend wird die Schuld für eine 'falsche' historische Entwicklung in wissenschaftlichen und dichterischen "Grillen" und "Spekulationen" gesucht. - Das Urteil, die Revolution drehte sich um Macht und Geld und weniger um die Verwirklichung schöner Menschlichkeitsträume, hat viel für sich. Es wird jedoch disqualifiziert durch die anti-aufklärerische Haltung, aus der es hervorgeht. Stünde Arnim wirklich auf der Seite der "Ärmeren", müßte irgendwo die Klassen- und Bewußtseinsstruktur, die seine Helden repräsentieren, in Frage gestellt werden. Saintrees sozialer-ökonomischer Status ist jedoch vollkommen 'natürlich' beispielsweise, lediglich sein politisches Urteil ist "blind", weil er die Blutrünstigkeit und Geldgierigkeit der kleinen Kapitalisten nicht durchschaut...

So kommt alles, wie es kommen muß, die Schlösser gehen in Feuer auf, welches "die Guten" unter den Revolutionären nicht hindern können. Melück kann zum letzten Mal ihre magischen Künste nutzbringend anwenden, indem sie Mathilde und deren Kinder in den Armen der Kleiderpuppe sicher festklemmt und versteckt. - Sie wird selbst getötet, - den Dolchstoß versetzt ihr St. Lük aus Rache, weil sie ihn nicht erhört hatte, derselbe also, der bei ihrer Ankunft vom Meere ihrer morgenländischen Hoheit als Verkörperer von Gewalt und Lust in den Weg trat. So endet die Geschichte "dieser wahrhaft morgenländischen Seele ..., der es genügte, Prophet eines Hauses zu werden, dem sie durch Leidenschaft angeeignet, während sie fähig gewesen wäre, Prophet einer ganzen abendländischen Welt für Jahrhunderte zu werden" (584-85).

D. Die drei liebreichen Schwestern und der glückliche Färber

Über die wichtigsten Motive und mythologischen Beziehungen dieser Erzählung wurde berichtet. - Sie ist als heitere Umkehrung der beiden anderen auch diejenige, in der wenigstens die Liebeshandlung zu einem glücklichen Ende kommt (das gilt auch für "Angelika, die Genueserin und Cosmos, der Seilspringer"). Golno wird glücklich verheiratet, allerdings nicht mit der mythologischen Hauptakteurin Lene, sondern mit ihrer liebreichen Schwester Charlotte, die jedoch 'die Richtige' für ihn ist. Er bringt für sein Glück Voraussetzungen mit, wie sie Karl und Saintree nicht so vollkommen besitzen, er ist nämlich stets 'ganz Kind', in seiner Tüchtigkeit, Gottesfürchtigkeit und Treue zu Lene so naiv, daß er deshalb komisch werden kann, womit freilich seine Liebenswürdigkeit keinen Schaden nimmt. - Im Hinblick auf Schuld- und Sühneproblematik endet die Erzählung wie die anderen: als er den Apfel der Versuchung wirklich gegessen hat, nach der Hochzeit, überfällt wie berichtet Golno der Golddurst, und nur durch den resoluten Einsatz Lenes kann er zu Demut und Gebet und stetem Sündenbewußtsein zurückgebracht werden. Im Gegensatz zu den Geistesverwandten der anderen Novellen ist Golno jedoch privilegiert: er hat den "warnenden Schmerz" am Kopf, und dieser "alte Schaden" (624), wie es bedeutungsschwanger heißt, macht sich immer bemerkbar, wenn er die Einheit mit sich und Gott, d.h. der weisen Voraussicht seiner Lene zu entlaufen und den "Unterirdischen" (624) in die Hände zu fallen droht, so daß er wieder gerettet werden kann. Den "alten Schaden" erhält er bekanntlich zu Anfang der Geschichte durch einen Stoß seines Kopfes an einen Baum, woraufhin er die Erde verflucht, also in Richtung Hölle problematisiert wird. Mit dem Ausbruch dieses Schmerzes wird stets auch seine 'Heilung' eingeleitet, - eine besondere Gunst des "Fingers Gottes" genießt er also wohl. Die Kategorien, unter denen dieses sich-und-seine-Natur-Verlieren als Grundprinzipien der Charakterdeutung zusammengefaßt werden können, gibt Lene an auf Golnos Frage: "Darum verdient er das Glück, weil er sich vom Glücke nicht verführen läßt, sondern bleibt, wie er ist, weil er das Glück ehrt, und dankbar ist, aber sich selber, und sein gutes Gewissen und seinen Fleiß, das, was er schafft und verdient, noch höher achtet. Ihm wird es nie fehlen in der Welt" (625).

Die widerstreitenden Parteien sind die bekannten: die himmlische (Lene), die "Unterirdischen" und die Irdischen, bzw. die Irdisch-Himmlisch-Unterirdischen, je nach der Stärke der Neigung nach unten oder oben. Hierher gehört Golno und so wichtige historische Persönlichkeiten wie der König von Preußen und sein Akademievorsteher Gundling. Der König ist ein brutaler Hausmannskostesser, der sein Land mit Gewalt industrialisieren möchte, den armen Golno z.B. mit der Forderung quält, eine Seidenfabrik einzurichten, obwohl doch Golno nichts davon versteht. So böse ist der König allerdings nicht, daß er nicht auch wieder grobmenschlich und zuvorkommend sein kann. Moralisch schneidet Gundling, der Akademiker und Alchemist, am schlechtesten ab. Er muß als Affe verkleidet und mit großem vergoldeten hölzernen Kammerherrnschlüssel herumspringen und natürlich spielt er den Teufel, der Golno mit der Goldtinktur verführt. Arnims Intellektuellenverachtung kann hier entschuldigt werden mit dem historischen Vorbild, das ähnliche Züge gehabt haben soll.

Wie man sieht, ist das Gold die treibende Kraft der Erzählung und so erhält das

Geld wiederum die Funktion als das zwischen Himmel und Hölle vermittelnde mythische Symbol. Als Golno kaum die himmlischen Silbertaler Lenes erhalten hat, um sein Glück damit zu machen, heftet sich auch schon das Unheil in Form von erotischer Komplizierung des Lebens und Paradiesvertreibung an seine Fersen. Aus Eifersucht entsteht die Schlägerei mit den Färbergesellen, und dabei kommt zu Tage, daß Golno wahrscheinlich zu den Wenden gehört, die in Preußen wie die Juden auf dem Erdball verachtet sind. Das ist eine Spiegelung der 'Fremdheit' der Mythenträgerinnen, deren Leiden ja aus der Vertreibung der Menschen aus dem Paradies resultieren, - und analog muß nun Golno den Bereich glücklicher Kindheit und Liebe und unbeschwerter Hoffnungen verlassen und sich in der Fremde, d.h. in Holland durchschlagen. Das gelingt ihm vorzüglich aufgrund seiner Redlichkeit und Naivität, mit welcher er Lene und der Mutter Gottes treu bleibt, d.h. auch, den himmlischen Silbertalerschatz nicht angreift. Seine Naivität wird unterstrichen durch die "Kan-nit-verstan" Geschichte Hebels, in deren Verlauf Golno in der Lotterie gewinnt, eine Färberei eröffnet, sehr billige Tücher kauft, Lenes Vater und ihre beiden liebreichen Schwestern findet, in der jüngsten seine wirkliche - unbemerkte - Liebe und in ihrer Schwester eine weitere Bewerberin um seine Gunst und schließlich großen Reichtum aufgrund der Tatsache, daß er "in seiner unbewußten Ahnung den ganzen Tuchvorrat Schnaphans schwarz gefärbt" (613) hat. Diese Tücher werden nämlich in Berlin wegen des Todes des alten Königs dringend für die Trauerfeierlichkeiten gebraucht.

So geht er zurück nach Berlin in Begleitung Susannas, wird ein reicher Tuchfabrikant und schließlich, nachdem Lenes Weissagung, Charlotte sei die Richtige für ihn, sich erfüllt, auch glücklich in der Liebe. Das Glück hält, trotz des Unfalls seiner Verteufelung nach der Hochzeitsnacht, dem die himmlischen Harzgulden zum Opfer fallen, insofern daraus das Goldkorn der Erkenntnis seiner menschlichen Unzulänglichkeit und der Notwendigkeit vielen Betens hervorgeht. Lene und Susanna gründen von Golnos Reichtum ein Waisenhaus, damit auch der soziale Aspekt nicht zu kurz kommt, und so endet die Geschichte mit der Aussicht, daß Golnos "Glück fest begründet sei in drei treuen Herzen" (622).

Warum drei liebreiche Schwestern? - Man könnte sagen, als Ausdruck der den Romantikern so wichtigen 'Einheit' lebt der naive-kindliche Golno unter dem Schutz der drei unzertrennlichen Musen des Romantisierungsprozesses bei Arnim: des Glaubens, der Liebe und der Phantasie. Charlotte ist ganz Liebe (sie droht unbemerkt von Golno still dahinzuwelken); Susanna ist die Phantasiereiche, - wie sie in Golnos Farbkübel springt und als "schwarzer Schatten" (612) durchs Haus geistert, um Golno auf sich aufmerksam zu machen, und sie stickt sein Leben in vierundzwanzig Bildern mit Glaskorallen auf ein Tuch... Anwendbar ist außerdem die von Freud z.B. im Aufsatz von der "Kästchenwahl"[1] gegebene

1) Siegmund Freud, Studienausgabe, hsg. von A. Mitscherlich u.a., Frankfurt/M

mythologische Deutung ähnlicher Figurenkonstellationen. Die drei Frauen gehen demnach auf Schicksalsgöttinen alter Mythen zurück, und der Liebende hat wie Golno die Jüngste, die Liebesgöttin anstelle von Reichtum und anderen wunderbaren Gaben zu wählen, um die Schicksalsprobe zu bestehen. Auch auf die Verbindung von Todes- und Liebesgöttin findet sich bei Arnim eine Anspielung, indem eben Charlotte die "Unterirdischen" belauscht, die ihre Verbindung mit Golno hintertreiben wollen. Und im Traum, während Golno der "alte Schaden" in eine 'Reinigungskrankheit' geworfen hat, erscheint als sein "Todesengel" (619) Charlotte, die ihn rettet und so sein Lebens- und Liebesengel wird.

Diese mythischen Beziehungen ließen sich gewiß noch vertiefen. Sie bekräftigen nur die mythische Fixierung von Schuld- und Entwicklungskategorien. Arnims Figuren verändern sich nicht; sie demonstrieren sozusagen den kategorischen Imperativ seiner konservativ-romantischen Normen. Durch die Analogisierung von mythischem und sozialem-psychologischen Geschehen wird die Möglichkeit, die Realität kraft Ratio zu verändern, aufgehoben. Die Welt der phantastischen Erzählung steht still - auf welcher politischen Basis?

3. SIND ARNIMS PHANTASTISCHE ERZÄHLUNGEN REAKTIONÄR?

Geld ist ein Grundthema in Arnims Dichtung. Nicht immer erscheint es in phantastischer Gestalt, doch diese Gestalt ist symptomatisch für sein Geschichtsbild. - Was ist Geld bei Arnim?: "... und das Geld ist wie die Gesundheit, die im ruhigen Verkehr der ganzen Organisation, in dem beschwerdelosen Empfangen und Zurückgeben sich zeigt" (I, 336). - Das Geld ... ist das Blut des Staats" (I, 675). - Es ist der "Alraun schnöder Geldlust", einer jener "Schrecken der Unterwelt", welche "Habsucht und Neugierde der Menschen töricht ans Licht" fördern (I, 503). - Es ist das "Schicksal(e) der Welt, daß es sich gewissermaßen auf Geld reime" (I, 936). - Geld ist bei Arnim biologische Kraft, Eigenschaft, Schicksalsmacht, natürlich eine gefährliche. Es ist der mythische Apfel der Versuchung, mit dem die Bergkönigin den Knaben in den Brunnen lockt, den Isabella Karl V. mit dem Alraun und den Lene ihrem Golno mit den himmlischen Harzgulden überreicht, - Geld ist der Prüfstein der Unschuld und Symbol des Sündenfalls. Geld ist der Inbegriff des Bösen, das im Hinblick auf Karl und Golno und die französische Revolution konkretisiert werden kann: Hochmut und Herrschlust. - Was ist dagegen gut?: Sich nicht vom Golde versuchen zu lassen, auch wenn man es hat, wie es die mythischen Idealgestalten vorführen und Golno vor dem 'Fall', d.h. sich der Hoffart und der Herrschlust enthalten und Gott fleißig

---

3. Aufl. 1970, Bd. 10 ("Das Motiv der Kästchenwahl"), S. 181 ff

um Beistand dabei bitten, wie Lene lehrt. Besser freilich ist es, kein Geld zu haben, frei und glücklich zu sein in der "Herrlichkeit derArmut" wie Isabella, dieser Traum von Schönheit, Liebe, Unschuld und Hoheit, der wohl kaum zu überbieten ist.

Aus historischer Perspektive wäre dann der 'Sündenfall' der europäischen Gesellschaft die Einführung der Geldwirtschaft, - der Verrat an einer der Mutter Erde in ihrer ganzen Organisation treuen Sozietät um der goldenen Äpfel willen, welche die Erde in ihrem Schoß birgt? Und die logische Möglichkeit, die Konsequenz dieses Sündenfalls, der ja nicht rückgängig zu machen ist, wenigstens rational zu beherrschen, wäre die Unterbindung der Herrschaft des Kapitals durch eine auf die 'Unschuld' der Landwirtschaft gegründete soziale Herrschaftsstruktur? - Damit wäre der phantastische Kosmos, die Verteufelung des Geldes und die Verengelung der Vertreter jener mittelalterlichen "Einheit" von Arnims feudal-ökonomischen Ausgangspunkt her erklärt, als Ausdruck der Verabsolutierung eines konservativen Standpunktes, von dem aus einer grundlegenden Veränderung der Machtverhältnisse durch den entstehenden industriellen Kapitalismus die historische Vernunft abgesprochen muß, wie es in der "Melück" geschieht. - Ist das wirklich so einfach? Gemessen an der Behandlung der "Feudalformen", die nicht sozialkritisch problematisiert, dafür gegen die bürgerliche Geldgier stets moralisch verteidigt werden, - ja. Herrschaft über Land und durch Landbesitz hat bei Arnim nicht das Geringste mit Versuchung und Sünde zu tun. Geld als "Blut des Staats" erscheint natürlich und notwendig. Dagegen werden überall dort, wo 'das Kapital' die Herrschaft an sich reißt oder an sich zu reißen droht, seine Repräsentanten in die Hölle geschickt...

Die phantastische Behandlung des Geldes ist symptomatisch für Arnims Geschichtsbetrachtung, insofern sie radikale moralische und soziale Kritik intendiert unter Verzicht auf einen sozialgeschichtlich-kritischen Gesellschaftsbegriff. Die Beurteilung der französischen Revolution in der "Melück" als Veränderung der "Vermögens- und Ehrenverhältnisse" der Nation durch eine und zugunsten einer aufsteigenden Klasse ist ein Ansatz sozialgeschichtlicher Auflösung der Geldproblematik, führt jedoch nicht weiter als bis zur Feststellung des Dogmas einer 'natürlichen', d.h. konservativ-reformistischen Politik als einzig vernünftigen. - Die Konsequenz ist die Verinnerlichung sozialer Problematik und die Projektion von Böse und Gut in Gestalten, welche den Anspruch auf die Klarheit oder Selbstverständlichkeit des Absoluten erheben und so der Darstellung den Gedanken der Veränderbarkeit der menschlichen Verhältnisse verwehren. Galgenmann und Golem sind intendiert als ebenso soziale wie individuelle Charaktere, indem sie ursprünglich große und würdige Eigenschaften verkörpern, die in der Entwicklung der historischen Verhältnisse auf die Automatismen Geiz, Machtgier und Lust reduziert wurden. Doch sind sie als Allegorien restlos verdinglichter Eigenschaften oder der

Entfremdung in der 'Hölle des Ich' und als zugleich ewig-mythische Wesen alles Menschlich-Formbaren beraubt, womit sie - als Spiegelungen des Bösen, das die Welt beherrscht - die mögliche Wandlung des 'Inneren' mit dem 'Äußeren' und umgekehrt als Ausweg aus dieser 'Hölle' abschneiden. - Die Krux des Arnimschen Geschichtsbildes ist eben die Sündenfallproblematik, auf die auch hier Schuld und Konflikte relativiert werden. Dadurch wird der Spielraum dessen, was als Symbol sozialer Erscheinungen 'nach außen' hin problematisiert werden müßte, wie Geld, Geiz und die Dissoziation der Sexualität, auf den privaten (erotischen) Bereich eingegrenzt, unterm Vorzeichen des Natürlich-Menschlichen, das sich wie der Verlust kindlicher Unschuld immer wiederholt. Von Konfliktlösung im Sinne der Veränderung existentieller Situation kann daher keine Rede sein. Auch die Beseitigung der Golem beispielsweise ist nicht die 'Überwindung' dessen, was sie verkörpert. Wie der verwandte Alraun ist sie als Sinnbild der Erbsünde ewig und mit seiner "Dämonisierung" in Karl beweist auch sie ihre Lebenskraft über ihren Tod hinaus: dem erotischen Fall folgt der Fluch des Goldes... Entsprechend kann Golno, nachdem durch die Verfluchung der Erde der Kontakt mit den "Unterirdischen" einmal hergestellt ist, vom Alraun Geld- und Herrschlust nicht mehr loskommen, sondern ihn lediglich unterdrücken durch permanente Disziplinierung. Sein warnender Kopfschmerz ist - wie etwa die Ohnmacht der Dolores vorm Altar nach der Pilgerfahrt oder der in den Flammen aufgehende symbolische Palast einer leichtsinnigen "neuen Zeit" - Signal eines Wiedergeburtsrituals, auf das er angewiesen bleiben wird, so wie dieser Schmerz einen unheilbaren "alten Schaden" symbolisiert.

Dem Einfluß des Bösen entrinnen nur diejenigen, die von vornherein immun dagegen sind, die Überkindmenschen, Arnims weibliche Ideale, in denen der Sündenfall aufgrund der Verschmelzung von Leidenschaft und Unschuld immer schon aufgehoben ist. Sie sind in der Tat 'Fremde' in dieser Welt. Die Handlung kehrt so zum mythischen Ausgangspunkt zurück, - das aufgestellte Ideal 'erweist' sich als solches im Kontrast zu denen, die seiner mehr oder weniger unwürdig sind. Die Unschuldsproben, welche diese Erzählungen darstellen, werden so zu Tautologien. Der phantastische Kosmos wird zum Schauplatz des Kampfes zwischen Teufeln und Engeln aufgrund der Identifikation von Moral und Erbsündeproblematik. Der Ausweg geht nach 'Innen', entweder man fällt oder ist heilig: logischerweise heißt es, "daß nur ein Heiliger auf dem Throne (Karls) jene Zeit hätte bestehen können" (552). Zwar ist das oberste Gesetz des Arnimschen Charaktermodells auch hier die Tat. Isabella und Lene erweisen ihre Integrität eben auch in der politischen Aktion, welche ihre Gegenspieler korrumpiert, und Melück wird schuldig durch Passivität. Doch für konkrete Methoden zur grundlegenden Veränderung der gegebenen 'bösen' Verhältnisse stehen sie nicht. Lenes letztes Wort ist: ora et labora,und mit Isabella zieht die Utopie von einem idealen Königtum (gottbegnadete Herrschaft und freiwillige Unterwerfung 'freier' Untertanen) ins legendäre romantische Ägypten...

Soweit bekräftigt die Novellensammlung von 1812 den Schluß, den Lars Gustafsson[1]) aus der Beschreibung der "Carceri" von Piranesi als Paradigma des Phantastischen zieht: "Was also ist das Gemeinsame, das alle phantastischen Werke auszeichnet? Es ist keine unveränderliche Qualität, sondern eine Haltung. Sie implizieren allesamt ein moralisches Verhältnis zur Welt, und zwar ein Verhältnis, das im Wesentlichen reaktionär ist (...). Denn die Anziehungskraft der phantastischen Eingebung besteht eben darin, daß sie uns die Welt letzten Endes unzugänglich macht und unserem Eingriff entzieht". (In diesem Zusammenhang ist die Komik, die Arnim aus dem Verhalten der grotesken Figuren gewinnt, von größter Bedeutung. Das Lachen über deren Witzigkeit ist ein Lachen der Abwehr, es entsteht aus der Ohnmacht angesichts der Absurdität des sozusagen absolut falschen Bewußtseins, das diese 'ewigen' Wesen als unaufhebbaren Fluch des Menschengeschlechts darstellen...).

Daß der Konstruktion des phantastischen Kosmos und der Auflösung der sozialen Utopie im unerfüllbaren romantischen Traum ein "tiefer Pessimismus" zugrundeliegt, wie Gustafsson sagt, ist nicht zu bezweifeln. - Wie reimt sich darauf jedoch beispielsweise Arnims Optimismus im Hinblick auf die Entwicklung Preußens zu einem "blühenden Garten"[2])? Hier kommt die Affirmation der wirtschaftlich-sozialen Entwicklung Preußens während der Restauration zum Ausdruck, mit der sich der weltgeschichtlich-konservative Pessimismus der phantastischen Erzählungen sehr wohl verträgt. Der "blühende Garten" Preußen wurde 1820 gegen Haller ins Feld geführt; noch in den 1817 erschienenen "Kronenwächtern" wird eine Lösung der deutschen Frage nur angedeutet... Die Novellensammlung erschien 1812, und solange Napoleon herrschte, hatte der antirevolutionäre Arnim wohl kaum Anlaß, seinem pragmatischen Optimismus Ausdruck zu geben, wie die "Melück" beweist, deren politische Ereignisse noch einmal kurz rekapituliert seien:

Die französische Revolution erscheint hier als der katastrophale Abschluß der historischen Periode, die mit Karl V. einsetzt. Mit ihm begann der "Alraun schnöder Geldlust" sozusagen sein neuzeitliches Unwesen auf höchster Machtebene zu treiben, und als dessen Glanzleistung werden die Ereignisse in Frankreich hingestellt. Die Veränderung der "Vermögens- und Ehrenverhältnisse" der Nation durchs Bürgertum wird praktisch und geschichtsphilosophisch negativ gewertet, die Umwäzung wird moralistisch, aus Geldgier begründet. Einer sozialgeschichtlichen Diskussion entzieht sich die Erzählung, die wissenschaftlich-literarische Aufklärung rückt lediglich als "Spekulation" ins Blickfeld, und diese

---

1) Lars Gustafsson, Über das Phantastische in der Literatur, Kursbuch 15, 1968, S. 115
2) Rezension einer Schrift von Haller, a.a.O. S. 165

Spekulation wird nach dem Urteil ewiger mythischer Weisheit, repräsentiert von Melück, verdammt. Melück verkörpert ein 'höheres' weltgeschichtliches Wissen und die politische Aufgabe der am Mythos geschulten in dieser "neuen Zeit", nämlich vor historischen 'Übereilungen' zu warnen: "kein gewaltsames Drücken und Fühlen an den Früchten"...[1]. - Das historische Idealbild, vor dem sich diese Urteile abheben, ist das in der "Isabella" genannte anläßlich Karls Grablegung bei lebendigem Leibe: "Es war Nebenäußerung jener Einheit, die uns aus aller ihrer Geschichte anspricht, aber noch lebendiger ... in den Kirchengebäuden alter deutscher Zeit". Die Kirche wird mit der Pflanze verglichen und mit betenden Händen, deren Richtung das Kreuz angibt, welches "einzig mit dem Golde glänzt" (II, 553), in dem also der Alraun gewissermaßen noch gebunden war. Die so beschriebenen müssen die "tugendreichsten, tätigsten Jahrhunderte" (577) sein, von denen Melück sagt, daß schon damals sich die Vernunft nur als "eine seltne Fremde gezeigt hat" (577), woraus natürlich folgt, daß sie in der sündigeren neuen Zeit keinen Platz hat. - Die Novelle, in der das soziale Ideal schon keinen epischen Ausdruck mehr findet, beschreibt vermittels mythologischer Analogie den Sündenfall des mittelalterlichen Kaisertums sozusagen in den Absolutismus moderner Prägung, der bei Arnim gleichbedeutend ist mit der Verschwisterung von Herrschaft und Gelddämon, der Triebkraft der bürgerlichen Ökonomie. Damit beginnt, wie man aus der Schloßsymbolik der "Gräfin Dolores" weiß, eine leichtsinnige neue Zeit, das heißt eine aristokratische, die an ihren Sünden wie die Gräfin Dolores am 14. Juli zugrunde geht. Der Alraun hat gesiegt, er ist nun ein für alle Mal los und beherrscht als Antichrist alle Gemüter: "Es war unmöglich, daß das Integral der Rationalität des monarchischen Prinzips gegen den anarchischen Andrang des souveränen Volksdemagogen, welcher G e l d heißt, gegen die metaphysischen Konstitutionen des Kakodämons, welche Hypotheken heißen, und gegen die papiernen Konstitutionen der Wechsel bestehen konnte" (III, 458). So drückt es Jarno in Arnims Wilhelm Meister-Parodie (1826) witzig aus. - Der Schluß aus alledem war für Arnim die Frage, wie die fromme "Einheit und Ausgleichung aller Verhältnisse" (II, 553), die dem Mythos einer an dem Gedanken kindlicher Unschuld orientierten 'heilen' Vorzeit abgewonnen wird, trotz der Herrschaft des Alraun in beginnender moderner kapitalistischer Gestalt zur Basis einer Neuorientierung Deutschlands werden konnte. Diese Frage war grundsätzlich nur schwer und während der Herrschaft Napoleons vom preußischen Standpunkt aus noch schwerer zu beantworten. Der Einfluß der Entstehungszeit der Novellen auf ihre pessimistische Haltung ist also wohl ebensowenig zu unterschätzen wie der der Restauration auf Arnims pragmatischen Optimismus.

Wie man sieht, beherrscht die Erbsünde-Idee Arnims Darstellung konsequent.

---

1) Was soll geschehen im Glücke, a.a.O. S. 200

Auch in der "Melück" zentriert sich die Handlung wieder um die erotisch-mythische Symbolik. Aufgrund ihrer Position im Ringelspiel um Melücks Gunst wird den Personen ihre Stellung im Revolutionsgeschehen zugewiesen. St. Lük, dieser "widrige Mensch" und Verführer ist auch hier wieder nach Graf Karls Worten über den "häßlichen Baron" der natürliche Revolutionär, - so als wäre das die Schuld der Revolution. Saintree und seine Freunde sind 'blind' für das Zeitgeschehen in dem Maße, wie sie Melück mißdeuten, mißbrauchen oder aus wissenschaftlicher Perspektive als arabisches Unikum behandeln. Daraus folgt zwangsläufig die Privatisierung des Historischen und seine Abstraktion auf philosophische Allgemeinheiten. Unter dem Primat des Mythischen erschöpft sich die politische Diskussion in solchen Unverbindlichkeiten, ob die Vernunft sich durch Revolutionen und Menschen an die Zeit binden lasse... Der konkrete politische Inhalt dieser Mythisierung ist die Tatsache, daß die feudale soziale Hierarchie, wie das Ideal aus dem Mittelalter es vorschreibt, nicht angetastet wird. Die Kritik ist hilflos vor den aus der hierarchischen Gesellschaftstruktur sich ergebenen Repressionen wie dem "Kakodämon" Geld und ist gezwungen, sie durch Übermoralisierung wie durch Groteske und phantastische Verteufelung oder 'Verengelung' zu 'bewältigen'. Man könnte in der Utopie des freien Zigeunerstaates, der nach der These: zurück zur Natur gebildet wird, den Wunsch sehen, die gesellschaftlichen Widersprüche in der Gleichheit aller aufgehen zu lassen. Doch die Beschreibung der politischen Praxis führt konsequent zur Affirmation der Verhältnisse, die Isabella flieht, weil gesellschaftliche Repression nicht als der Klassenstruktur implizit, sondern moralistisch begriffen wird. Daher ist die Lösung der Konflikte, oder besser die Behandlung des Realen durch die Mythenträger, wo sie praktisch sein soll, resignativ: man opfert sich in der Beschützung seiner Familie und gründet ein Waisenhaus. Und die über die Tagespolitik sich erhebende Utopie realisiert sich in der Aufforderung zum Beten und im Trost für das sündige Bestehende im Traum von einer glücklichen "Vorzeit".

Widerspricht dem nun nicht die Funktion des 'Volks' und der 'Volkskunst' und die im Kontrast zu den Armen gewonnene Kritik der Reichen? - Sie dient im Gegenteil der Stabilisierung der von diesen Reichen beherrschten Gesellschaft. - Die Helden in der "Isabella" und den "Drei liebreichen Schwestern" sind zwar arm, ihr Heldentum liegt jedoch in ihrer Naivität. Das 'einfache Volk' ist der Natur näher und deshalb Vorbild; und Märchen, Legenden und alte Zauberbücher haben keine andere Funktion, als diese Tatsache mythisch zu befestigen, indem sie den magischen Bereich vergegenwärtigen, in dem die Einheit mit der Natur vollkommen sein kann und in dem also die mythischen Ideenträger zu Hause sind. Unter diesem Aspekt ist Armut ein Glückszustand: Isabella ist in der "Herrlichkeit der Armut" in den Wäldern den Verführungen der auf das Gold gebauten Zivilisation nicht ausgesetzt. Zynisch ist Arnim nun allerdings nicht; die materielle Not seiner Figuren erfreut ihn keineswegs. Die Reichen werden angeklagt, weil sie die Armen hungern lassen, und Golno wird für seinen Fleiß mit Wohlstand belohnt. Die Klassenstruktur tangiert sein Aufstieg jedoch nicht. Er ist nur solange akzeptabel, wie er den Demuts- und Bescheidenheitsgrundsätzen seiner Kindheit und Armut treu bleibt, - seine Klassenposition, ob nun als Angehöriger der Unterklasse oder dann als fabrikbesitzender Kapitalist, wird nicht problematisiert. Dasselbe gilt für Karl V. Seine 'Sünde' ist nicht die Tatsache, daß er eine repressive Gesellschaft repräsentiert, sondern sie liegt in seiner Selbstsucht, dem Golddurst, dem Grund für die unheilvolle Realisierung der "Jugendträume seiner Herrscherlust", die seiner sozialen Position aber wohl angemessen sind. Wo Arnims Herrscherkritik am schärfsten ist, werden die 'Großen' verlächerlicht, wie der König von Preußen, demgegenüber Karl trotz der Ungeheuerlichkeit seines Versagens geradezu edel dasteht. Ihre gesellschaftskritische Schwäche zeigt diese Verlächerlichung u.a. darin, daß sie als Kritik mit der Austauschung der Person durch die moralisch bessere hinfällig wird. Aus der "Gräfin Dolores" ist bekannt, daß die für die Sünden einer leichtsinnigen neuen Zeit verantwortlichen Aristokraten nach der religiösen 'Reinigung' wieder voll funktionsfähig werden.

Die Huldigung des 'Volks' und der 'Volkskunst' hat mit klassenkämpferischer Solidarität mit den Armen nichts zu tun. Sie ist auch mit den Volksbildungsplänen der Wunderhornzeit nicht intendiert gewesen, sowenig wie Graf Karls Vorschläge zur Ausgleichung der Standesunterschiede über eine kulturelle oder 'sittliche' Annäherung hinausgehen. Die Volksbegeisterung im Zeichen Rousseauschen Kulturpessimismus ist aus dem Kontext der preußischen Reformen nicht zu lösen, denen es ja nicht um die Umwälzung des Bestehenden, sondern um seine Verteidigung zu tun war vermittels der Mobilisierung des Verantwortungsgefühls aller. Das forderte freilich eine gewisse Mündigkeitserklärung auch der unteren Schichten, und insofern Arnim hierfür eintritt, ist sein an den Armen entzündetes Freiheitspathos auch produktiver Ausdruck eines aufklärerischen Prinzips. In der Dichtung wird dementsprechend die geistige und ökonomische Selbstbestimmung des Bürgers außer Frage gestellt; alle sollen frei vor ihrer "Hütte" stehen, wie Graf Karl träumt und Golno es darstellt. Mit der Autonomie dieser Hütte ist ihm aber auch der politische Spielraum zugewiesen, den er im revolutionsfeindlichen Weltbild seines Autors möglichst nicht überschreiten soll.

Ist Arnim als Klassenkämpfer für die Armen nicht verdächtig, so doch gewiß als ein solcher in eigener Sache. Die Heiligung der Feudalformen und die Verfluchung des Geldes als Apfel der Versuchung macht die Rückführung der Konflikte auf die tatsächlichen Klassen- und Herrschaftsverhältnisse, die seine ökonomisch-soziale Position garantierten, überflüssig. Angesichts der Vertreibung aus dem Paradies sind alle Menschen so gleich wie vor Gottes Angesicht. Als 'existentiell' Leidende stehen Fürsten und Bettler auf einer Stufe, - Karl verdient ebensoviel Mitleid und ist zu entschuldigen, weil er kein Heiliger sein konnte, wie der gutmütige, einfältige Schwarzfärberlehrling Golno, der von seiner mythischen Freundin ständig wieder zur Vernunft gebracht werden muß. Das ist sozusagen der politisch aktive Charakter des an der Naturharmonie orientierten Persönlichkeitsmodells: es funktioniert als Mechanismus der Anpassung des 'Volks' an die bestehende soziale Hierarchie im Sinne des versöhnlichen sozialen Modells Arnims, in dem die Klassenunterschiede vermittels ständischer und zünftiger Ordnung zementiert werden. Wie wenig die Huldigung bürgerlicher Freiheit im Mittelalter mit Klassenkampf aus der Froschperspektive zu tun hat, verrät u. a. der Kommentar in der "Isabella": "Einem Reichen war es eine Kleinigkeit, Tausende durch Wohltaten zu sättigen, darum gab es eigentlich keine Notleidende in den Städten und nur Bettler, die in dem müßigen Leben ihre Freude fanden" (II, 498). - Über dieses karitative soziale Credo geht Arnim hier nicht hinaus. Dem widerspricht auch nicht der Aufstieg Isabellas von der Ärmsten der Armen zur Herrscherin im Morgenland. Sie tangiert nicht die traditionelle Klassenstruktur, da sie als Fürstin geboren ist; wie bemerkt, ist ihre fürstliche Hoheit ein entscheidendes Motiv ihrer heilsgeschichtlichen Funktion: "Es lag ihr die Hoheit ihres ägyptischen Stammes im Blute und sie sah zu den Sternen zutraulich als zu ihren Ahnen" (484). Und außerdem realisiert sie ihre Herrschaft in mythischen Fernen. Jedoch exemplifiziert Isabella, was Untertanen wie Herrscher zu guten, allgemein akzeptablen Menschen macht: vernünftig sein in aller Unschuld, wie die 'Natur' selbst.

Daß "viele Sagen / In unsern Zeiten erst recht wieder tagen" (447), wie es in der Zueignung der Novellensammlung an Grimms heißt, erklärt sich aus der fundamentalen Bedeutung des Mythischen in Arnims Geschichtsbild. Die phantastischen Elemente aus alten Märchen und Sagen ermöglichen die Vergegenwärtigung 'ewiger' moralischer und sozialer Normen, nach denen die Geschichte als Verfallsprozeß gedeutet werden kann. Der Sinn ist die Umwandlung des Historischen, d.h. konkret feudaler Grundsätze in Natur, in deren Namen die aufklärerische Vernunft zur Demut aufgefordert wird.[1]

---

1) Diese grundromantische Tendenz verschleiert Claude David (Achim von Arnim: "Isabella von Ägypten". Essai sur le sens de la littérature fantastique, a.a.O. S. 320-345), indem er die phantastisch-pessimistische Litteratur Arnims, in der das Mythische nicht die erlösende Kraft des romantischen Märchens besitzt, geistesgeschichtlich als nachromantisches Phänomen einstuft. - Der Trost, den Isabella im Glauben findet, und die Gewißheit ihrer Erlösung oder der Erfüllung ihrer heilsgeschichtlichen Aufgabe erscheint David dementsprechend als Widerspruch zur phantastischen Konzeption. Sowohl daß hier abgeschnittene Finger nicht wieder anwachsen wie im Märchen, als auch daß fromme Menschen im Glauben gestärkt werden, folgt jedoch aus Arnims religiösem Geschichtsbild, und die Einlösung der heilsgeschichtlichen Mission der Zigeuner durch Isabella

ist dessen romantisch-didaktische Konsequenz. Die Krux der Davidschen Interpretation ist, daß er von der politisch-historischen Basis und so von der ideologischen Funktion der "Isabella" abstrahiert.
Paul Noacks Interpretation (Phantastik und Realismus in den Novellen Achim von Arnims. Diss. Freiburg 1952) ist der obigen entgegengesetzt. Er sieht in den phantastischen Figuren der "Isabella" das "Eingreifen von außermenschlichen Kräften" (S. 172). Eine ideologische Konkretisierung fehlt auch hier.

III. "DIE KRONENWÄCHTER" oder DER 'SÜNDENFALL' DER "VORZEIT"

1. ÜBERSICHT

Arnims Bildungsroman "Die Kronenwächter" ist ein Künstlerroman in der Tradition Sternbalds und Ofterdingens insofern, als die 'innere' Entdeckung einer idealen "Vorzeit" und ihre künstlerische Vergegenwärtigung Voraussetzungen für die Entwicklung des Helden sind. "Vorzeit" meint auch hier die bekannte hochmittelalterliche religiöse Lebenstotalität unter den Staufern (die Barbarossamythen spielen eine wichtige Rolle), die - wie auch in der "Gräfin Dolores" und in den Novellen von 1812 - aufgrund analogischer Beziehungen zwischen Jugend und Unschuld, bzw. 'natürlicher' Lebensanschauung und Lebenskraft und 'Zeit des Beginns' mythisch überhöht wird. - Zeit des Romans ist die Reformationszeit; er ist ein "Bild des Untergangs" (521). Während jedoch vergleichbare romantische Künstler auf dem "Weg nach Innen" in eine 'heile' Welt die Heimatlosigkeit in der unter dem 'Diktat' des Verstandes beschädigten "neuen Zeit" glücklich kompensieren, läßt Arnim seinen Künstler an den Widersprüchen dieser Zeit zugrunde gehen. Nicht etwa, weil das Ideal jener heilen Welt in Frage gestellt würde; sonders es geht auch hier um die jenes Ideal korrumpierende politische Praxis als Ausdruck einer komplizierten und gefährlichen historischen Entwicklung.

"Die Kronenwächter" beschreiben die Auflösung der mittelalterlichen 'Harmonie' von Feudalismus und Bürgertum, und dieser historische Bruch geht sozusagen durch die Seele des Helden, - als Erklärung der Geschichte vermittels Individuation. Das Verfahren und sein kritisches Ziel sind bekannt aus der Novellensammlung von 1812. Wie Karl V. das in Isabella verkörperte romantische Humanitätsideal, dem er in seiner Jugend konfrontiert wird, seinem Macht- und Golddurst opfert, so läßt sich auch der romantische Kind-Künstler Berthold allmählich vom "Alraun schnöder Geldlust" beherrschen. Die Kategorien der Kritik sind die bekannten: Berthold versinkt in der 'Hölle' des Ich ("Je tiefer wir in uns versinken, Je näher dringen wir zur Hölle", 408) oder er "verwildert" in seinen Träumen, wie es in der "Gräfin Dolores" hieß. Das ist Resultat der Störung 'natürlicher' Balance von Intuition und Ratio, Lust und Demut, Selbsterhaltungstrieb und Hingabe ans allgemeine Wohl und kann so als n o t w e n d i g e s Ausgraben des "Unheils" (680) aus den Tiefen der Triebwelt, als Sündenfall also dargestellt werden, der auch hier natürlicherweise Analogie der erotischen Reife ist und verbildlicht wird durch die Situation des Mannes zwischen zwei Frauen. Berthold steht zwischen der Jugendgeliebten Apollonia und deren Tochter Anna, die er wegen ihrer Schönheit der 'eigentlich' geliebten Mutter vorzieht. Wie

Karl V. (in den Armen der Golem) bleibt auch er den Idealen seiner Kindheit und so denen der historischen "Vorzeit" relativ treu in seiner Sehnsucht nach dem Glück der Unschuld erster Liebe, doch sind diese Ideale des Erwachsenen veräußerlicht, als schöner Schein, entsprechend seiner 'Blendung' durch den Glanz des Goldes.

Bertholds Geschichte kann also nicht glücklich enden in der romantischen "inneren Welt". Das verbietet die historisch-mythische Determination seines Schicksals als Spiegelung des 'Falles' der Gesellschaft alter Zeit. Das heißt aber auch, Arnims Schicksalsbegriff ist ebenso mythisch bestimmt wie der des Novalis beispielsweise, und er bedient sich ebenfalls eines romantischen Apparates von Schicksalssymbolen, - nur mit umgekehrten Vorzeichen. Für Arnim ist das entscheidende Problem die verführerische Stimme des Bösen, der er protestantisch den kategorischen Imperativ des gottgefälligen Handelns entgegensetzt. Die 'Aufhebung' der Erbsünde im therapeutischen dichterischen Akt ist für ihn ein frevelhaftes Spiel mit der göttlichen Entscheidung, den Menschen aus dem Paradies zu vertreiben. Der Lebenslauf des Helden wird entsprechend vermittels Schicksalssymbolik auf den ersten Seiten als Spiel (Schachspiel) von Himmel, Hölle und Tod und als im Frevel endend ausgewiesen.

Der historische Bruch, den die Figur repräsentiert, wird so aufgrund seiner mythologischen Fixierung einer rationalen, sozialkritischen Geschichtsdeutung entzogen, womit dem Helden die Chance der Veränderung als Ausdruck möglicher Veränderung und Beherrschung des 'Weltlaufs' durch die menschliche Vernunft genommen wird. Das heißt auch, Ansätze sozialpsychologischer Deutung von Erziehung und Bildung, an denen es keineswegs fehlt, werden deterministisch 'aufgehoben'. Wissenschaftliche Einsichten, welche die romantische Bildersprache vermitteln kann, werden dem Autor in ihrer aufklärerischen Konsequenz nicht bewußt. Die "Lücken in der Geschichte" (520), die der das historische Feld bearbeitende Ackermann Arnim (das Bild für den Dichter in der Einleitung zum Roman) entdeckt, werden mit den Symbolen irrationaler Geschichtsbetrachtung geschlossen.

Damit können auch die Lücken im Nachweis des naturanalogisch-cyklischen Geschichtsbildes Arnims aus seiner poetischen Praxis geschlossen werden. - Die Symbolik jener "Einheit" von Mensch, Natur und Gott gehört dem Mittelalter; ein staufischer Erlösungsmythos von der kindlichen Unschuld und dem Gottesgnadentum der Königsherrschaft, die das romantische Kind Berthold intuitiv als Leitbild alles Lebens begreifen kann, hat konstitutive Funktion im Roman. Unter den Staufern erfreuten sich die Deutschen einer annähernden "Vollendung" dieser "Einheit", die sie nicht wieder erreichten, "und so reiht sich das Bild des Untergangs unmittelbar an den Glanz der Hohenstaufen" (521). - Arnim faßt soziale

Entwicklung unter den Kategorien des pflanzenhaften Reifens und Wachsens, historische Krisen und Revolutionen sind für ihn "Krankheiten". Dies im Zusammenhang mit jener Einheits-Unschuldssymbolik läßt die Stauferzeit als eine der Kindheit analogisierbare "Vorzeit" historischer 'Gesundheit' erscheinen. Seitdem geht es bergab mit Deutschland, die soziale Harmonie wird zerstört, zum großen Teil durch Schuld des Adels und des Absolutismus (wie aus der "Gräfin Dolores" und den Novellen von 1812 bekannt), bis das Land in ein "Greisenalter" kam und "verjüngt"[1] werden mußte. Das Vorbild der "Vorzeit" ist absolut, Verjüngung muß praktisch also Besinnung auf dies Ideal bedeuten, wie sie sich in Arnims reformistischem Gesellschaftsmodell auf feudaler Basis konkret niederschlug.

So erklärt sich die irrationale, entwicklungsfeindliche Grundhaltung des Romans. "Und wenn die Gegenwart mich oft verwirrte, Ich kann den Weg vergangner Größe weisen" (II, 557), heißt es in der Novellensammlung von 1812 in der Zwischenbemerkung zwischen der "Isabella" und der "Melück". Entsprechend heißt es vom Helden der "Kronenwächter", er habe "genug deutsche Wahrheit in sich, durch keine Freude an Menschen sich blenden zu lassen, sondern das Menschliche in allem Gegenwärtigen zu erkennen und nur aus der Vergangenheit sich Strahlenbilder fleckenloser Vollendung zum Vorbild dieser Gegenwart aufzustellen" (634). Wie beschrieben, schließen diese Ideale einen gewissen politisch-pragmatischen Optimismus für Arnim im Hinblick auf die Entwicklung Preußens nicht aus, seine dichterischen Ideen sind jedoch entscheidend bestimmt durch den Pessimismus, der aus seinen historisch-rückläufigen ideologischen Grundsätzen resultiert. Angesichts der Entwicklung des Bürgertums im Zusammenhang mit dem Kapitalismus ist Arnim ratlos, und so enden auch "Die Kronenwächter" in Ratlosigkeit vor dem "Alraun schnöder Geldlust", der als böser Dämon den "Geist der neuen Zeit" beherrscht.

Wie die konkrete politische Zukunft in der unvollendeten Fortsetzung hätte gestaltet werden sollen, läßt sich aus den Bruchstücken nur erschließen. Die Anlage deutet darauf hin, daß das religiöse Disziplinierungsverfahren infolge der leitenden Erbsündeidee, wie es aus den bisher besprochenen Arbeiten bekannt ist, wiederholt worden wäre. Der Held Anton ist ein Ungeheuer an Gewalttätigkeit, erotischer Gier und Golddurst. Seine Maßlosigkeit entspricht der Dämonisierung dieser 'Erbübel' im Alraun und der Golem beispielsweise, - natürlich wird auch Anton von Teufeln und Dämonen geplagt. Und auch er trifft schließlich auf weibliche Unschuldsheroen, - Isabella von Ägypten tritt auf -, unter deren Einfluß er entweder zu Kreuze kriechen muß, oder - als negatives Exempel des "Geistes neuer Zeit" - von einem Helden nach dem Bild der idealen Frauen abgelöst wird. Nach einer Weissagung soll die Problematik der Kronen-

1) Unbekannte Aufsätze und Gedichte, a.a.O. S. 36

wächter und der Kronenburg gelöst sein, wenn "ein von Gott Begnadeter alle Deutschen zu einem großen friedlichen gemeinsamen Leben vereinigen wird" (845). Diese Lösung ist in dem "Hausmärchen" vorgezeichnet, dem staufischen Erlösungsmythos des ersten vollendeten Teils des Romans. Dies Märchen ist eine Verherrlichung des Gottesgnadentums aufgrund eben jener "Einheit" von Mensch, Natur und Gott, aus welcher die kritischen Kategorien des Romans abgeleitet werden: seine Utopie liegt also offensichtlich in seinem mythischen Ausgangspunkt.

Aufgrund der phantastisch-mythologischen Konzeption des Romans erübrigt sich seine ausführlichere Diskussion als historische Dokumentation im Verhältnis zu Tradition und Entwicklung des "historischen Romans". Den "Kronenwächtern" geht es um Kritik und Deutung zum Zwecke der Verteidigung des Arnimschen sozialen Modells, und zwar nach romantisch-historistischen, d.h. nach unhistorischen, an rationaler sozialgeschichtlicher Analyse uninteressierten Grundsätzen. Die phantastischen Einschläge stehen auch hier für die Tendenz, die Geschichte dem Zugriff der Ratio zu entziehen, und die das feudal-reformistische Harmoniemodell Arnims störenden sozialen 'Kräfte' verfallen auch hier der grotesken Verteufelung. - Die Untersuchung des dokumentarischen Wertes der Darstellung wird daher begrenzt auf die Frage nach dem Verhältnis von realistischen Ansätzen und Möglichkeiten und romantisch-symbolistischer Tendenz und Methode.

2. ROMANTISCHE KÜNSTLERPROBLEMATIK

A. Die Entdeckung der "Vorzeit"

Die Entdeckung der "Vorzeit" und damit die Bildung des Kindes Berthold zum romantischen Baumeister wird als teils rational erklärbares Erziehungs- und Identitätsproblem, teils als Vorgang unter dem Einfluß geheimnisvoller Mächte mit offenbar messianischen Absichten dargestellt (ähnlich wie Heinrich von Ofterdingens Bildungsgang bei Novalis teils auf Beispiel, teils auf ein Absolutum zurückgeführt wird: Heinrich ist zum Künstler geboren...). - In Bertholds Erziehung teilen sich Martin, der Türmer von Waiblingen, dessen Frau Hildegard und beider Freund, der Ratsschreiber Berthold. Martin diente bei den Kronenwächtern, hielt es aber bei den "alten Mördern" (526) nicht mehr aus, nachdem er Bertholds Vater erschlagen hatte im Kampf um die von der Kronenburg gestohlene Stauferkrone und das Kind, welches die Kronenwächter nach ihren Grundsätzen erziehen wollen. Deren politische Anschauungen teilt er jedoch; er nimmt ihren Auftrag an, Berthold seiner Abstammung entsprechend zum Ritter zu erziehen, und er versteht die aufkeimende Liebe des Knaben zur "Vorzeit" als Ausdruck religiöser Heilshoffnungen: "Gott führt auf immer neuen Wegen zum Heil, unser Leben ist wie ein Märchen"... (539). Somit bedient er sich der gleichen ideologischen Kategorien wie die Kronenwächter, die sich als Gralsritter fühlen und die Restauration der Staufischen Kaisermacht als kosmologisch-heilsgeschichtliche Notwendigkeit deuten (worüber noch genauer berichtet wird).

Martins Erzieherrolle als Vermittler des 'Geistes' der "Vorzeit" ist also durchaus rational. Er kennt die Kronenburg, das Symbol einer paradiesischen goldenen Zeit, und steht mit den Kronenwächtern in konkreter Verbindung, - vertritt "alte Kräfte in der Zeit"[1] wie sie und erzieht Berthold in deren Sinne. Er schnitzt ihm Degen, erzählt ihm von den alten Rittern und Herzögen und stachelt seine ritterromantischen Sehnsüchte in jeder Beziehung an. Die literarische Basis dieser Sehnsüchte bilden die an die Wände der Schlafkammer als Tapete verklebten Blätter der "Chronik der Stadt" (529) Waiblingen, an denen Berthold "buchstabieren" lernen soll (530). Die Chronik enthält eben die Mythen der Barbarossazeit und die "Strahlenbilder fleckenloser Vollendung", die als moralische und politische Vorbilder für Berthold fundamentale Bedeutung erlangen sollen, z.B. Tristan und Isolde, Siegfried und vor allen Barbarossa selbst. Die Chronik beschreibt auch den Palast Barbarossas, dessen Trümmer sich noch in Waiblingen befinden, und von dem Berthold später berichtet, er habe "immer heimlich daran gedacht, daß ich ihn finden müßte" (537).

Martins Auffassung, der Knabe gehöre "unter den Helm" (527) hält der alte Berthold entgegen: "Das wird ein Gelehrter" (534). Er lehrt den Kleinen frühzeitig Lesen und Schreiben, - fingiert eine Anstellung beim Bürgermeister als Abschreiber, um seinen Ehrgeiz zu reizen -, und übernimmt die gesamte Ausbildung, um ihn rascher voranzubringen, als es die Stadtschule vermöchte. Damit leistet er seinem Schüler allerdings einen Bärendienst. Hier nämlich wird der Grund gelegt für Berholds spätere Weltfremdheit, - für seine Identitätsschwierigkeiten als werdender Kaufmann und Bürgermeister und für seine Unfähigkeit, sich ein realistisches Bild von den Zeitzuständen zu machen. Demzufolge wird er den Idealen aus alter Zeit als "blinder Theoretiker" dienen und sich zwangsläufig gegen den Anspruch seines Autors versündigen, "alte und neue Zeit" wie Theorie und Praxis zu verbinden. Da Berthold nicht zur Schule gehen muß, ist auch kein Anlaß gegeben, die Einsamkeit des Stadtturms und der Spielplätze seiner Kindheit vor den Stadtmauern zu verlassen, und er gewinnt keine Freunde. Damit erhält seine Liebe zur "Vorzeit" u.a. auch kompensatorische Funktion, woraus psychische Mechanismen wie das unbewußte 'Anklammern' an die Helden der alten Mythenbücher als Ersatzspielkameraden resultieren, - also Fixierungen,

---

1) Hugo von Hofmannsthal, Aufzeichnungen, S. 184. In: Gesammelte Werke in Einzelausgaben, hsg. von H. Steiner, Frankfurt 1955

die nicht gerade vielversprechend sind als Ausgangspunkt seines Geschichtsverständnisses. Für Bertholds Ausbildung insgesamt ist bezeichnend die fingierte Schreiberstelle, deren Entdeckung ihn zum ersten Mal mit der Differenz zwischen einem in sozialer Isolation gebildeten Bewußtsein sinnvoller Tätigkeit und deren tatsächlicher Funktion konfrontiert: "... wenn nun das alles, was ich hier treiben soll, auch nur zu meiner Prüfung und an sich zu nichts dient ?" (535).

Aus diesem Ansatz rationaler Darstellung von Mechanismen der Bewußtseinsbildung folgt nun keineswegs eine aufklärerisch-sozialkritische Verankerung von Schuld- und Bewußtseinskategorien. Bertholds Erziehung und Ausbildung in der Isolation auf dem Stadtturm ist ein Fall von Indoktrination mit dem Resultat unbewußter Fixierung auf reaktionäre Klasseninteressen. Von hier aus hätte eine Darstellung von Erziehung und Bildung als Instrumente gesellschaftlicher Repression entwickelt werden können, als Basis einer Ideologiekritik an eben jenen "alten Kräften in der Zeit", mit denen der Roman sich auseinandersetzt. - Arnims Erzählinteresse am "Geist der Vorzeit" liegt aber primär auf einer anderen Ebene, dieser Geist wird nirgends im genannten Sinne sozialkritisch problematisiert. Die Ideale der guten alten Zeit sind in jedem Fall vorbildlich, es geht um die Frage, wie sie unter Berücksichtigung der veränderten sozialen Situation wieder als Leitbilder bewußt gemacht werden können.

Kritisch gegen die Tradition wendet sich die Exposition des Romans dagegen im Sinne der Arnimschen Kritik an Grimms historistischer Buchstabengläubigkeit. Frau Hildegard wird während des Gesprächs über die alten Mythen der Chronik an das Gerücht von ihrer Leibesfülle erinnert, die sie angeblich verhindere, vom Turm herabzusteigen. In Wirklichkeit leidet sie an Schwindel, und sie bemerkt: "wer weiß, ob solche Lügenreden nicht auch in die alten Geschichten gekommen sind, so daß kein Mensch jetzt mehr sagen kann, wo die Lüge aufhört und wo die Wahrheit anfängt" (530). - Wie beschrieben, versteht Arnim diese Art der Mythenbildung als Paradigma poetischer Erfindung, auch im Umgang mit der Geschichte. Und die Mythen und Sagen der Völker enthalten für ihn Wahrheit, insofern sich aus ihnen der "Geist ganzer Nationen"[1] herauslesen läßt. Um die Rettung des "Geistes" der mittelalterlichen Mythen aber geht es, die Kritik trifft also nur die Mythologen, die nicht den Weizen von der Spreu unterscheiden können oder wollen.

Demnach muß Berthold das Vergangene im Gegenwärtigen entdecken, als Realisierung des im Unbewußten Angelegten, - er muß den verfallenen Barbarossapalast finden und aufbauen als Basis seines Künstlertums. Damit übernehmen die mythischen Mächte die Leitung der Handlung. Das Kind Berthold ist offen für sie,

1) Unbekannte Aufsätze u. Gedichte, a.a.O. S. 25 (über Jung-Stillings "Theorie der Geisterkunde")

so wie es in jener "Einheit" von Geist und Natur lebt. Eine Elster, seine einzige "Gespielin" (533) und Beschützerin zeigt ihm die Ruinen, sein mythisches Ich gewissermaßen vertretend, denn: "sie weiß nun alles, was ich denke" (537).[1] - Diese Entdeckung wird erlebt als überwältigendes Ereignis, das sein Leben gründlich verändern und seiner Zukunft ihren Inhalt geben wird. Im alten verwilderten Schloßgarten trifft er einen "Alten", der dem Bild des Barbarossa am noch erhaltenen Schloßportal gleicht. Er fragt Berthold, "ob es mir wohlgefalle, dieses Haus in den Trümmern, er habe ein steinern Bild, wie es gewesen, im kleinen ausgeführt, das wolle er mir zeigen, so solle ich es aufbauen und ich würde viel Glück in dem Hause erleben und wenig würde mir von meinen Wünschen unerfüllt bleiben" (538). Dann führt er ihn ein in die Ruinen durch einen langen gewölbten Gang, an dessen Ende er eine "metallne Tür" öffnet. "Wie erschrak ich, als wir da eintraten. Das ganze hochgewölbte Zimmer, von zwei hängenden Lampen erleuchtet, schien mit Gold und Edelsteinen, wie andre Häuser mit Kalk überzogen, in der Mitte stand ein Sarg und darin lagen drei hochehrwürdige Männer mit Kronen und als ich den Sarg näher betrachtete, war es dies Haus, schön neu und vollendet und schien mir gewaltig groß, ob ich gleich drüber weg und hinein sehen konnte, und als ich die alten Männer näher betrachtete, so sah ich, daß der mittlere dem Alten glich, der mich hineinführte. Ich sah mich um nach dem Alten, es war mir als wäre er es selbst, der da lag mit Königen, aber er war fort. . ." (538). Das Steinbild des Palastes, behauptet Berthold, werde er "nimmer" vergessen, "ich könnte es Euch hier auf den Boden herzeichnen" (538). Und er behält recht; nach dem Bild baut er das Haus auf, - aus "seltner innrer Einsicht" (562), wie der Baumeister des Straßburger Münsters ihm später bestätigt.

Derartige mystische Offenbarungsvorgänge kennt man aus Tiecks Märchen und aus "Heinrich von Ofterdingen" z.B. Die Symbolik gehört zu dem Komplex "Unterwelt - Innenwelt": der lange Gang, der in ein von der "Vorzeit" zeugendes Gestein führt, - am Ende das von Edelsteinen und Gold glänzende künstliche Paradies, in dem die Ahnungen des Helden bewußte Gestalt erhalten, - jener Alte, "seltsam" gekleidet, der dem Helden bekannt vorkommt, insofern er eine Projektion seiner Sehnsucht nach den mythischen Ahnen ist. Daß Berthold in den nacheinander bemerkten "Alten" stets die Gestalt des früheren wiederfindet, entspricht Ofterdingens - der Traumstimmung abgewonnenem - Eindruck: mir war, als hätte ich das alles schon einmal gesehen..., womit seine Bildungserlebnisse stets auf ein 'Urerlebnis' zurückbezogen werden. Das Sarg-Palastabbild schließlich hat für Berthold die gleiche Funktion wie für Ofterdingen das "Buch seines Unbewußten" aus dem Besitz des Grafen von Hohenzollern; es zeichnet ihm seine

---

1) H. Riebe (Interpretationen zur dicht. Prosa Achim von Arnims. Diss. Göttingen 1952) sieht die Elster als Ausdruck der "Verkündigung" (S. 164)

künstlerische Zukunft vor nach dem symbolischen Bild für den "Geist der Vorzeit".

Die Entdeckung des alten Schloßgartens mit Palast und Kapelle zeichnet Berthold als das magische romantische Kind aus, das kraft Intuition den Zugang zu den Geheimnissen und Wahrheiten der Geschichte findet, - so wie Ofterdingen den "Weg der innern Betrachtung", der "fast ein Sprung nur" ist, als den sichersten zur "Wissenschaft der menschlichen Geschichte" vorzieht.[1] - Tausende sind an den Ruinen vorbeigegangen, ohne sich auch nur für ihren Inhalt zu interessieren, Berthold ist der Berufene, der mit dem Erlebnis der Kapelle erwählt wird, das fromme Werk seiner Ahnen wiederherzustellen und fortzusetzen. Daß diese Kapelle in Wirklichkeit nicht existiert, versteht sich. Sie ist eine Eingebung reiner kindlicher Phantasie, mit welcher Bertholds künftige Leistungen unter die Forderung frommer Bescheidung gestellt werden. Die Kapelle und mit ihr die Entdeckung der "Vorzeit" ist nicht das Ziel seines Bildungsweges, sondern das Ziel liegt in der Anwendung der mythischen Wahrheiten auf die soziale Realität.

Eben hierin unterscheidet sich Arnim von Novalis z.B. Der romantisch-magische Bereich künstlerischer Selbstverwirklichung wird nicht in entfernte phantastische Gebirge verlegt, sondern grenzt an die soziale Wirklichkeit und soll in ihr integriert werden. Das ist der Sinn von Bertholds Doppelentwicklung zum Kind-Künstler und Tuchfabrikanten. Folgerichtig ist seine Geschichte von diesem Augenblick an wie die etwa Karls V. und Golnos konzipiert: die Überführung des mythischen Ideals in die konkrete soziale Realität wird zur Überprüfung der Möglichkeiten, die Unschuld des romantischen Kindes, bzw. seine 'Paradies-Nähe' gegen die Anfechtungen der 'außerparadiesischen' Gefilde von Sinnlichkeit und Habgier zu erhalten. - Damit tritt die Gold-Symbolik in Kraft. - Die Existenz des Ruinengrundstückes ist bekannt geworden, und es soll versteigert werden. Berthold bietet sein Gespartes, das nicht ausreicht. Als er schon resignieren will, steht der bekannte "Alte" wieder neben ihm und fordert ihn auf, mehr zu bieten. Er tut es, - erhält den Zuschlag, - und wird für sein Vertrauen belohnt, indem der Alte anschließend, als Berthold in seinem Schloßgarten eingeschlafen ist, ihm im Traum einen Schatz zeigt. Berthold bezeichnet die Stelle halb erwacht mit einem Zweig und sinkt dann wieder in festen Schlaf.

Durch diesen Schatz wird Berthold nun an die Gefahren einer sündigen, durch Sündenfall entstandenen Zivilisation gebunden. Zum Zwecke der Überprüfung seiner Unschuld muß natürlich die Goldsymbolik mit der erotischen verknüpft werden. Das geschieht, während Berthold noch im Schlaf nach glücklichem Goldfund liegt, durch Apollonia Streller (die Tochter des Bürgermeisters), zu der er bereits eine Neigung gefaßt hat. Sie pflückt Blumen, um einen Kranz zu winden, und zwar um eben den Zweig, der die Stelle des Goldfundes bezeichnet,

---

1) Novalis, Die Dichtungen, a.a.O. S. 32

an eben der Stelle, wo das Gold liegt. Die so auf Berthold zukommende Forderung ist die anfangs an Golno beispielsweise gestellte, das von Lene erhaltene Geld, mit dem er Karriere machen soll, als einen Schatz an Liebe und Gottvertrauen zu begreifen. - Berthold erwacht, - erzürnt über Apollonia, die er nicht gleich erkennt, weil sie seine geliebten Blumen abrupft, und fährt sie unfreundlich an: "Besser tausend Augen, als eine Hand". Sie wirft ihm beleidigt den Kranz auf den Kopf (man erinnere Melücks Granatenkranz, den sie Saintree auf den Kopf setzt im Augenblick der Verführung) und verläßt den Garten. Berthold steht "bleich von Schrecken" da, den Kranz in der Hand drehend und die Augen Apollonias, die ihm seit längerem schon als ein "unerreichlich seliger Sternenhimmel erschienen waren" in Gedanken. Da fällt ihm, als er den Zweig des Kranzes durch die Hände gleiten läßt, der Traum wieder ein. Er gräbt mit großem Eifer, findet eine Truhe voller Silber- und Goldmünzen, der ein lederner Beutel und ein Gürtelmesser beiliegen, und mit ihr Trost für alle Sorgen der letzten Zeit: "der Schatz, das Haus, der Garten, alles war wieder sein, auch Apollonia glaubte er durch diesen Reichtum noch erlangen zu können". Er nimmt "von seinem Garten mit einem Kuß, den er der Erde gab, Besitz" und beschließt dann "mit furchtbarer Reue, alles Blühende zu Ehren Apollonias abzumähen" (547-51). Und mit einem hohen Korb voller Blumen begibt er sich zum Bürgermeister...

Hier wird deutlich, daß Berthold - obwohl er noch ganz im Einklang mit der inneren Stimme aus der "Vorzeit" steht - doch in dem Augenblick schon, wo er durch Handeln in der 'äußeren' Welt sich durchzusetzen beginnen muß, durch die "unterirdischen Mächte", also durch Selbstsucht in Verwirrung gerät. Daß er Apollonia nicht erkennt und seine Liebe sozusagen aus dem Paradiesgarten seiner Kindheit vertreibt der Blumen wegen, ist kein gutes Zeichen. Die Habgier hat sich hier eingeschlichen, und anstatt daß ihm die Geliebte den Kranz als Zeichen ungetrübter Liebe auf den Kopf setzt, verwandelt sich der Kranz aus ihrer Hand in der seinen in das Zeichen für das Gold, - den Apfel des Bösen. Das ist Bertholds erste Konfrontation mit psychischen Widersprüchen als Spiegel einer 'gefallenen' Welt. Nun muß er auf das gefährliche Gold seine Hoffnung setzen, auch die Geliebte wieder zu erreichen, die er im Garten kindlicher und 'vorzeitiger' Unschuld an seinen Freuden nicht teilnehmen lassen wollte. Schon zeigt die Warnung des "Alten" während der Entdeckung des Schatzes im Traum seine Berechtigung: "Nimm so viel du brauchen kannst von meinem kleinen Hausschatz, ..., aber vergiß nicht, daß es nur geliehenes Gut ist und daß alles mein ist, was du damit kaufst und verdienst, und daß ich alles zurückfordern kann, wenn es mir gut dünkt und ich es einem andern verleihen will. Der Zins ist nicht hart", fuhr er fort, als ihn Berthold bedenklich ansah, "ist doch dem Menschen unter gleicher Bedingnis die Erde geschenkt, er nimmt nichts von ihr in jene Welt, als die Einsicht und den Glauben, den er auf ihr gewonnen" (548-9).

Und es "plagte ihn schon der Reichtum" (550), als er - bevor er Apollonia die Blumen bringt - nicht weiß, wo er seinen Schatz verstecken soll...

B. Der Verrat

Die Dialektik von Liebe zur staufischen Vorzeit, kindlicher Unschuld und heilsgeschichtlichem Bezug einerseits und erbsündiger Belastung andererseits als leitendes Prinzip der Bertholdschen Entwicklung ist also symbolisch (Chronik, Ruinen, alter 'Paradiesgarten', Schloß, Kapelle und auch der "Sternenhimmel" in Apollonias Augen gegen Schatz und Messer als Symbole der Gefährdung durch Habgier und Gewalt) fixiert, in dem Augenblick, wo Berthold zum ersten Mal den mythisch-kindlichen Phantasiebereich verläßt, um sein Glück in der sozialen Realität aus eigener Kraft zu erobern. -

Wie gesagt, sind nach den Erfahrungen der "Dolores" und den Novellen von 1812 für seine weitere Entwicklung kaum noch Überraschungen zu erwarten: die erste Unsicherheit und Härte der Geliebten gegenüber und die Gründung seiner Zukunftshoffnungen aufs Gold beweisen Bertholds Gegensätzlichkeit zu Idealträgern von der Art Lenes und Isabellas, die als einzige niemals "sich selbst" und die Harmonie mit Gott und Natur verlassen. Bertholds unglückliches Ende erklärt sich als 'Abfall' von dem Unschulds-Vorzeitideal, der mit dem Schatzfund und der Beleidigung der Geliebten gegeben ist. Das heißt, sein Verhältnis zu Liebe und Geld (und alles, was damit zusammenhängt, wie Tuchfabrikation und bürgerliche Ehrenstellen) wird den künstlerischen Auftrag seiner romantischen Kindheit korrumpieren. Die kritischen Kategorien sind auch hier Selbstsucht, bzw. Versinken in "sich selbst" und damit Gottlosigkeit und die Störung jener 'natürlichen' Harmonie von Wissen, Handeln und Glaube oder die Zerstörung jener mittelalterlichen Lebenstotalität, die das Kirchensymbol: wie fest alles an der Erde und doch alles dem Himmel eigen - kennzeichnet.

Berthold beginnt mit dem Palastbau nach dem Bilde Barbarossas und mit dessen Geld und wird aufgrund der Beschäftigung vieler Künstler und Handwerker zu einem Wohltäter Waiblingens. Mit Hilfe des Schneidermeisters Fingerling (den er kennengelernt hatte, als ihm aus dem grünen Tuch von des Bürgermeisters Tisch, das ihm Apollonia schenkte, der grüne Anzug seiner Kindheit geschneidert wurde - vgl. Graf Karls grüne Kappe und Husarenkleidung...) wird zugleich ein Handelshaus gegründet, dessen Leitung Fingerling übernimmt. - Die wie an alle Arnimschen Figuren, welche mit 'himmlischen' Schätzen mythischer Herkunft versorgt werden, gestellte Forderung, dies Geld im "Geiste der Vorzeit" in der neuen Zeit effektiv werden zu lassen, kann so wahrgenommen werden. Die Integration von künstlerischer und bürgerlicher Tätigkeit gelingt jedoch schlecht; die bürgerliche Rolle bleibt Berthold stets äußerlich (die Geschäfte quälen ihn, übers Weben schafft er sich nie Kenntnisse etc.), was nach Arnimschen Grundsätzen bedeutet, daß auch seine künstlerische Tätigkeit ziellos bleibt. Grotesken Ausdruck finde dies z.B. darin, daß Berthold den ersten fertigen Teil des Palastes mit den Maschinen seiner Tuchfabrik, mit "weltlichem Gerümpel" füllt, wie der Prior des Frauenklosters bemerkt (563). - Auf die Empfehlung Erwins (Baumeister des Straßburger Münsters), er solle Baumeister werden, denn er habe hier "das Rechte aus seltner innern Einsicht getroffen" (562), antwortet Berthold, er sei schon "zu weit in der Handlung". - Was vereinigt werden soll, "Geist alter und neuer Zeit", bleibt so als Widerspruch bestehen; den kostbaren Ritterpalast als Maschinenhalle aufzubauen ist ebenso sinnlos wie die Befolgung einer 'Berufung' zum Künstler, die im 'Hobby' zum Zweck persönlicher Wunschbefriedigung aufgeht. Die durch Frau Hildegards Bemerkung von der möglicherweise lügenhaften Chronik angebrachte Warnung vor Buchstabengläubigkeit dem Überlieferten gegenüber erfüllt sich so an Berthold negativ. Sein Künstlertum ist funktionslos, insofern es allein auf 'Intuition' (die nach Grimms den wahren Künstler der Vorzeit ausmacht) baut und den Verstand als Bindung an die gesellschaftliche Praxis unbefruchtet läßt. Nach der Bertholds Entwicklung bestimmenden Erbsündeidee ist diese von Grimms geforderte Überschätzung des Intuitiven identisch mit der Ignorierung der Erbsündebelastung. Die Fähigkeit, im 'Geist' mythischer Unschuld tätig sein zu können, muß der Erfahrung abgewonnen werden: das ist Arnims Forderung von (Grimms) Berthold.

Erfahrung heißt nun natürlich, daß der "Apfel der Versuchung" gegessen werden muß. Damit muß die Schaffung einer sozialen Basis für Bertholds künstlerische Tätigkeit vermittels Gold aus alter Zeit durch die Konkretisierung seiner Liebeserfahrung ergänzt werden, um die Frage des "Falls" endgültig klären zu können. Liebe kann, wie aus der "Dolores" und den untersuchten Novellen bekannt ist, den Gelddämonen einigermaßen unter Kontrolle halten, unter der Voraussetzung, daß der Held den Impulsen reiner erster Liebe treu bleibt. - So lange sich nun Bertholds Liebesverhältnis zu Apollonia in aller Unschuld entwickelt, so lange baut er auch in kindlicher Naivität nach den Anweisungen Barbarossas, zwar mit widersprüchlichen Begriffen von der Zukunft, doch als Träger der Hoffnung auf die Entwicklung produktiver Relationen in der 'äußeren Welt'. Diese Hoffnungen verschwinden - mit Apollonia. - Ihr Vater, der Bürgermeister, hatte den alten Berthold, den Stadtschreiber, aus Konkurrenzneid ins Gefängnis werfen lassen, und um ihn zu befreien, muß Berthold Dokumente, welche Steuerbetrügereien des Bürgermeisters entlarven, veröffentlichen, woraufhin der Bürgermeister mit seiner Familie flieht. - Der Verlust Apollonias äußert sich auf Berthold als Schock, woraufhin er sich ganz 'in sich' und seinen Palast zurückzieht und dort als ein verinnerlichter Don Quixote im Spiel mit den Puppen der mythischen Helden der guten alten Zeit und dem Glück seiner Kindheit nachtrauert. Damit ist die angestrebte Balance von Innen- und Außenwelt, von Komtemplativität und Aktivität zerstört. Berthold verkriecht sich in der bekannten 'Hölle des Ich' oder im Selbstgenuß, der symbolisch als Krankheitszustand akzentuiert wird, entsprechend der Kopfkrankheit des "tollen Invaliden" und Golnos "warnendem Kopfschmerz", den bekannten Zeichen des "Abfalls" von der Einheit mit Gott und Natur.

Aus dieser Kränklichkeit und Isolierung wird nun Berthold nach etwa dreißig Jahren nicht erzählter Zeit (gerechnet vom Ende des 1. Buches an, das den Knaben in hoffnungsvoller Situation - er hat seine Mutter wieder gefunden und Apollonias Liebe ist noch erreichbar - verläßt) wieder entlassen. Der Bericht von seinem Zusammenbruch und der restlosen Verinnerlichung seiner Existenz wird nachgeholt zu Anfang des 2. Buches im Kapitel von der "wunderbaren Heilung" des nun etwa Fünfundvierzigjährigen. Diese Heilung, die Bluttransfusion durch Faust, ermöglicht es, den versäumten Bildungsweg in der 'äußeren' Welt endlich nachzuholen. Berthold reist, findet Apollonia wieder, - entscheidet sich jedoch falsch für die schönere Tochter und unterwirft sich nun, zwischen zwei Frauen stehend als Ausdruck der 'Versinnlichung' seiner Jugendliebe, immer deutlicher dem "Alraun schnöder Geldlust". Die Warnung des "Alten", der nun, wo Berthold reif ist, sich aus eigener Kraft durchzusetzen, die Rückzahlung der geliehenen Schätze im Traum verlangt, wird ausgeschlagen. Berthold träumt, er habe ihn erstochen, wobei sich der Alte nun konkret als sein 'Vorzeit-Ich' erweist, denn: "ich hatte mich selbst erstochen" (729). - Seine wiederaufgenommene Tätigkeit nach den Idealen aus alter, goldener Zeit, nämlich Waiblingen die Reichsfreiheit der Barbarossazeit zurückzuerobern, entlarvt sich entsprechend als Äußerung rechthaberischen Hochmuts. Er zwingt den Bürgern seine Ideen auf, ungeachtet der veränderten historischen Situation, und schont die Stadt auch sonst nicht, falls es um die Durchsetzung privater Wunschträume geht. Der 'Verrat' der "Vorzeit" wird symbolisch so zum Ausdruck gebracht, daß Berthold die "ehrwürdige Scheidewand" des Palastes (669) durchbricht - im Bewußtsein seines Unrechts (669), - um ihn mit dem Hause Apollonias zu verbinden, und er verbaut so den Bürgern ein wichtiges Gäßchen zur Bleichwiese. Das ist der Anfang seines Endes. Eben auf diesem unrechtmäßig, seinen Gelüsten zuliebe gewaltsam an sich gebrachten Fleck Erde, läßt er dann den Brunnen bauen, der ein "Vereinigungsbrunnen" (beide Frauen im Garten der "Vorzeit" vereint als Vereinigung von Jugendglück und Gegenwart...) werden soll (678). Doch der Brunnen wird zum Symbol der endgültigen Herrschaft der 'unterirdischen' Mächte über sein Bewußtsein. Habgier treibt ihn, das "Unheil" (680) aus den Tiefen hervorzugraben, keine Warnung, kein noch so unglücklicher Gang der Arbeiten, kann ihn abhalten.

Arnim kommentiert: "So tief hat des Himmels Gnade das Verderben versteckt, der Mensch sucht es trotz allen Gefahren auf, oft scheint es, als ob sein höchster Mut erst in der Sehnsucht nach dem Verderblichen erwache, als ob die Überzeugung des Guten nicht diese heftige Flamme in ihm entzünden könne" (675). Berthold läßt den Bergmann drunten umkommen und verschweigt seinen Tod, - versucht sich loszukaufen von seiner Schuld, indem er ganz gegen seine Gewohnheit Seelenmessen lesen läßt und genießt dann skrupellos das Frühstück am Brunnen, so als sei nichts geschehen. Macht und Geld haben ihn verdorben, die Hoffnungen seiner romantischen Kindheit sind tot.

Warum nun diese dreißigjährige Verzögerung des endgültigen 'Falles', des Siegs der Gelddämonen, an welche den Knaben der Schatz bindet, über die Impulse unschuldiger Liebe? - Die Antwort liegt in der historischen Bedeutung von Bertholds Schicksal. In die Zeit seiner Kränklichkeit und der restlosen Verinnerlichung der Vorzeit-Ideale fällt - die Reformation. Das ist selbstverständlich eine Epoche der "Krankheit" alter Zeit, die Berthold repräsentiert, als 'Verschuldung' des bürgerlichen Lebens. Die "Kräfte alter Zeit", die durch Bertholds sowohl romantisch-mythische wie städtisch-praktische Bindung zu produktivem Ausgleich gebracht werden sollten, siechen während dieser Periode gewissermaßen in sich dahin. - Bertholds Kindheit beschreibt die den staufischen Erlösungsmythen abgewonnenen Heilshoffnungen des Mittelalters, - sein Siechtum den Niedergang, welcher die Reformation auslöst, - und mit seinem Wiedereintritt in 'die Welt' zur Zeit von Luthers Thesenanschlag wird die Frage aufgeworfen, unter welchen Voraussetzungen die Liebe zur "Vorzeit" in dieser neuen, vom reformatorischen Geist beherrschten Zeit noch fungibel sein kann.

C. Die politischen Folgen

Diese Deutung der Krankheit Bertholds erscheint spekulativ, wird jedoch plausibler durch die nähere Bestimmung seiner sozialen Repräsentanz im Verhältnis zu den staufischen Erlösungsmythen. "... wenn feindliche Stämme sich innerlich verbinden und versöhnen, wird der Friede kommen auf Erden" (532), heißt es , während die Chronik gewissermaßen als Bertholds Bibel an die Wände der Schlafkammer verklebt wird. Berthold ist ein Gegenbild des Erlöserkindes im staufischen "Hausmärchen" (wovon noch zu reden sein wird). Er trägt die in diesem Märchen verkündeten Hoffnungen der Kronenwächter, die feindlichen Stämme der Staufer auszusöhnen als Voraussetzung der Wiedergeburt der glücklichen alten Zeit. Das fordert die neuerliche Harmonisierung von bürgerlicher und ritterlicher Welt, welche die Erfahrung und existentielle Anverwandlung des 'Geistes' beider Zeiten voraussetzt, - eine Verbindung, die in Bertholds Doppelrolle als romantischer Künstler und Kaufmann angelegt ist. Die Integration der Ritter-

und Bürgerrolle wird jedoch nicht praktisch, - mit dem Verlust Apollonias zieht Berthold sich 'in sich' zurück. Er sammelt Altertümer, richtet einen Rittersaal ein mit einem künstlichen Rosengarten und einem Ritterpuppenspiel (seiner Lieblingsbeschäftigung), studiert, lernt alte Sprachen und wird so allmählich zu einem bekannten Gelehrten, der mit des Kaisers Schreiber Treitssauerwein über Probleme der griechischen Literatur korrespondiert. Natürlich betreibt er auch Kaufmannsgeschäfte und nimmt seine Aufträge als Bürgermeister wahr, doch stets nur von der Studierstube aus, - die Praxis 'draußen' bleibt ihm fremd.

Für Arnim ist nun bekanntlich der "Wurmstich aller neuern Kultur" (II, 82) die Trennung von Theorie und Praxis, des Wissens vom Glauben und von der Tätigkeit. Die neuere Kultur beginnt jedoch mit dem Humanismus, in dem somit die frühere 'Lebenstotalität' bereits theoretisch aufgehoben, - bereits 'Papier' geworden wäre. Eben dies stellt Berthold dar, indem die konkreten romantischen Erfahrungen seiner Kindheit zu Spiel und intellektueller "Spekulation" werden (mit Melücks Ausdruck). Nach der Sündenfallidee ist die Deutung dieses Zustandes als 1. Liebeskummer und 2. Krankheit logisch; alle Studien alter Zeit und alter Sprachen entspringen der Sehnsucht nach verlorener Unschuld und sind so zugleich Symptome einer 'entnatürlichten' Entwicklung. - Der Verlust Apollonias wäre demnach der Anlaß, die Rolle der humanistischen Wissenschaft nach dem 'Abfall'gedanken inszenieren zu können. Das wird durch die Koppelung der auslösenden erotischen Problematik mit der Geldthematik wiederum bekräftigt. Berthold selbst sorgt dafür, daß Apollonia aus seinem Gesichtskreis gerückt wird, indem er die trüben Geldgeschichten des Bürgermeisters ans Licht zieht. Als symbolische Situation ist dies eine Wiederholung der 'Vertreibung' der Geliebten aus dem 'Paradiesgarten' seiner Kindheit aufgrund gekränkten Besitzerstolzes. Unter Apollonias Füßen lauerten bereits die unterirdischen Mächte, die jetzt ihre Flucht veranlassen. Das ist sozusagen Ironie des Schicksals als Strafe dafür, daß Berthold einmal auf das gefährliche Gold sein Vertrauen gesetzt hatte, um sein Glück zu erzwingen. Der Verlust kindlicher unschuldiger Liebe ist ja Strafe für eine Gier, die der Golddurst symbolisiert und die in der literarischen Kompensation verlorenen Glücks resultiert; so wäre also Bertholds Wendung vom romantischen Kind zu einem mit Ritterpuppen spielenden Humanisten Individuation der Geschichte menschlichen Geistes und der des Mittelalters insbesondere.

Der letzte Schritt im 'Integrationsexperiment' des "Geistes alter und neuer Zeit" nach der Erfahrung der "Vorzeit", des Humanismus und der Erlangung bürgerlichen Reichtums und bürgerlicher Ämter muß die Frage aufwerfen nach der Bewährung Bertholds im Umbruch der Zeiten während der Reformationszeit. Er wird so mit Luther konfrontiert, der den moralischen Maßstab seines Handelns bildet. Luther grübelt nicht nur wissenschaftlich, er ist auch ein 'Mann der Tat' und seine Vorbilder sind "Strahlenbilder fleckenloser Vollendung" aus der Vergangenheit, denen auch Berthold sich verpflichtet fühlt. - Sozusagen als ritterlich-bürgerliche politische Kraft wird nun Berthold dem bürgerlichen Geistlichen zur Seite gestellt. Als er zum ersten Mal Waiblingen verläßt, erhält er bereits vom Kaiser den wichtigen Auftrag, Luther zur Flucht aus Augsburg zu helfen. Berthold nimmt den Auftrag an, - er achtet den "kühnen Mönch" (649) -, sein Verhalten dabei zeigt aber bereits, daß er das moralische Maß des Reformators nicht hält. Es fällt ihm nämlich sehr schwer, sich von der Geliebten Anna und ihrer Mutter Apollonia und dem Tanz bei Fugger loszureißen. Mit einer relativ leeren Formel, mit seinem "ritterlich gegebenem Wort" (651) treibt er sich zur Tat, doch ein tieferes Verhältnis gewinnt er nicht zu Luther und zur Reformation, "die dem ganzen Deutschland, nur ihm nicht wichtig scheine" (651), wie er in Liebesgedanken seufzt. -

Wieder hat der den 'Apfel des Bösen' in der Hand, und es wird nicht lange dauern, bis er ihn verschluckt. Als Versagen dem Vorbild Luthers gegenüber wird das symbolisch verdeutlicht durch den Bergmann, der Bertholds "Vereinigungsbrunnen" bohrt. Der romantische Bergmann ist bekanntlich eine Ich-Verdoppelung des romantischen Künstlers, ein Vermittler von (naturgeschichtlichen) Wahrheiten der "Vorzeit", die im Unter-Innenreich als Erfahrungen der Kindheit aufzusuchen sind. Nun ist Bertholds Brunnenbau Folge der Sehnsucht nach dem Glück seiner Kindheit (Vorzeit), er soll Mittelpunkt der vereinten Haushalte der früheren Geliebten und Frau Annas werden, womit er alle seine Wünsche erfüllt findet. Der Bergmann setzt diese Sehnsucht nach der Vorzeit ("Sehnsucht nach der Unterwelt" heißt es im Gedicht von der Bergkönigin) in Praxis um, die nach Bertholds moralischen Voraussetzungen eine die Vorzeit-Ideale korrumpierende werden muß. Praktisch ist der Brunnenbau Konsequenz repressiver Maßnahmen, wie bekannt. Die Verbindung zu Luther kommt nun so zustande, daß der Bergmann das Pferd Bertholds, mit dem Luther geflohen war, mit guten Grüßen zurückbringt, - gerade in dem Augenblick, als der Brunnenbau schon zu scheitern droht. Über Luther räsonniert Berthold analog, er sei ja ebenfalls ein frommer Bergmannssohn, der sein Leben daran setze, eine neue "Quelle des Glaubens" (680) zu graben; das geschieht, während er gegen alle böse Vorzeichen den Bergmann wieder in den Schacht steigen und umkommen läßt, - ihn seiner Habgier opfert. - So wird die Quelle also zum Symbol der Herrschaft des Teufels über Berthold, - die Mächte alter Zeit des Unter-Innenreichs verlieren ihre erlösende Funktion in einer durch Macht und Geld gekennzeichneten bürgerlichen Praxis. Den Brunnenbau setzt Berthold mit Gewalt durch aufgrund seines Reichtums: "... er war zu mächtig durch seinen Reichtum und beschäftigte zu viele Arbeiter, als daß irgend ein Bürger eine Anklage gegen ihn gewagt hätte" (682). Eros und Geldgier haben hier also endgültig zusammengefunden und besiegeln Bertholds 'Fall'. Der "Alraun schnöder Geldlust" besiegt die Idole der mythischen Ahnen aus goldener Zeit.

Die endgültige Pervertierung der Lehren aus frommer Vorzeit (angekündigt durch die Ermordung des warnenden "Alten" im Traum nach - der Hochzeit) spiegelt sich in Bertholds Verhältnis zu den Kronenwächtern. Diese "Kräfte alter Zeit" und treibenden Kräfte seiner Entwicklung fürchtet er anfangs wegen ihrer Heimlichkeit und Gewalttätigkeit, gewiß im Sinne seines Autors. Die Kronenwächter dienen den gleichen Idealen wie Berthold, ihre Praxis ist jedoch um einige Grade blutrünstiger als seine. Sie vertreten schöne mythologische Überzeugungen; zur Stauferzeit hätte ein "heiliges Geschlecht" geherrscht, "ein reines, keusches Rittergeschlecht". Diese "echten Ritter" sind vom harten Geschick geschlagen und geprägt, ihr Sporn ist die Treue und ihr Schwert der Glauben an das ewige Bestehen der Geschlechter und daß dieselbe Herrlichkeit aus dem Stamme immerdar wiedergeboren werde, wie Ihr das Wasser dieses Brunnens ruhig abfließen laßt und immerdar auf die Dauer und Gabe der Quelle rechnet...". - Berthold ist dagegen der Meinung, "daß ein hochberühmtes Geschlecht nach Gottes Weisheit von der Höhe schwindet und dem gemeineren Platz macht, wenn seine Fortdauer Greuel brütet" (685-6). Solche Greuel sind z.B. die Internierung widerspenstiger Staufernachkommen auf Schloß Hohenstock oder einfach ihre Ermordung, wie die von Bertholds Vater. Die Kronenwächter rechtfertigen ihre Handlungen durch den Glauben an das Erlöserkind des "Hausmärchens" und spezialisieren sich demnach auf den Raub von Stauferkindern, die sie in ihrem Sinne erziehen und auf der Kronenburg zum Kronendienst zwingen. - Wie immer man sie in Arnims Geschichtsbild placiert (sie tragen die Züge, die er an den ultrareaktionären Feudalen rügt, die einen störenden Einschlag in seinem versöhnlichen sozialen Modell darstellen), ihre mörderische Praxis disqualifiziert sie. Ein Verständnis neuer Zeit ist von ihnen nicht zu erwarten; der Ehrenhalt z.B. spricht mit einer Stimme, "als ob die böse Witterung eines Jahrhunderts darin sich verkrochen hätte" (684), und Schloß Hohenstock (das Gegenstück in der Realität zur Kronenburg, dem Symbol einer paradiesischen Vorzeit) ist ein Ort der Rückständigkeit, gekennzeichnet von Unterdrückung, Gestank, Schmutz, Zank und Unwissenheit. Positive Resultate der Unternehmungen der Kronenwächter werden nicht vorgeführt (auch nicht in der Fortsetzung, wo Anton die Kronenburg zerstören sollte).

Zur Charakterisierung Bertholds tragen die Kronenwächter bei einmal durch Verkörperung von Grundsätzen, von denen er sich distanziert, und dann durch die Bereicherung seiner Lebenspraxis, aufgrund der seine Kritik an ihnen sich als wirkungslos für ihn selbst erweist. Sie machen ihm ein symbolisch-wichtiges Geschenk, die Glasmalereien mit dem "Hausmärchen", die Berthold als Laube über seinen Brunnen baut ..., und sie versprechen ihm die Herrschaft über Hohenstock, welches seine Habgier reizt: es "quält" ihn "recht innig", daß er nicht "zum ausschließlichen Besitz desselben kommen kann" (748). Auch hier handelt es sich um private Wunscherfüllung; er möchte sein Ritterpuppenspiel in der Wirklichkeit fortsetzen, - mehr ist seine "ritterliche" Ehre nicht wert. -

Im Bund mit den Kronenwächtern bricht er schließlich den Krieg um die Reichsfreiheit Waiblingens gegen den Willen seiner Bürger und ohne ihr Wissen vom Zaun, disqualifiziert sich also durch eben die Methoden, die er zu Anfang ablehnte.

Der Roman endet in Ratlosigkeit als Konsequenz der Demonstration der fallenden mittelalterlichen Welt. Berthold sitzt am Ende in Gedanken müßig da, und der Autor ruft ihm zu: "das Geschehene läßt sich nur durch Tat, nicht durch Nachdenken vernichten" (773). Worin diese Tat bestehen sollte, hat Arnim nicht mehr fixiert, - das Schicksal Antons, der Berthold am Ende als der angemessene Liebhaber Frau Annas ablöst und so Bertholds Fehlentscheidung aufhebt, bleibt ungewiß. Der "Alraun schnöder Geldlust" triumphiert als "Geist neuer Zeit". Auch theoretisch, in den Diskussionen über Maximilians Politik, wird seine Macht nicht gebrochen, die Erzählung verharrt bei dem Bild der Auflösung der ritterlichen Welt durch die bürgerliche Geldwirtschaft. Maximilian gibt resignierend zu verstehen, es habe ihm am Gelde, dem "Blut des Staats" (657) gefehlt, um eine auf die Städte und den Handel gegründete Politik zur Rettung des Reichsgedankens durchzusetzen. - Von ihm wird behauptet, er wolle aus seinen Landsknechten einen geistlichen Ritterorden machen, dann wolle er selbst Papst werden, um sich geistliche und politische Macht als Garantie einer neuen Reichseinheit nach der Reformation zu sichern. Berthold wendet zu Recht ein, so würde die Reichsidee verhökert. - Luther interessiert den Kaiser vor allem, weil der das Ablaßgeld von Rom abschneide (657), Maximilian wird also direkt und indirekt wie Karl V. charakterisiert. - Bertholds eigene Urteile treffen mehrfach den Kaiser kritisch, sein Zeitbild ist jedoch illusionistisch, insofern er das Rittertum idealisiert: er kennt lediglich aus Erzählungen von Rittern "das kriegerische Jagdleben der kleinen Ritterstaaten von der glänzenden Seite" (677) und gründet auf diesen Glanz übertriebene Hoffnungen. - In all diesen Gesprächen wird als allgemeine politische Tatsache bekräftigt, was in Bertholds Lebensgeschichte als psychische, weil weltgeschichtliche Notwendigkeit erscheint: das Geld ist der 'Apfel des Bösen', der eine 'heile Welt', in der Ritter und Bürger in frommer Einheit sich ergänzten, zu Fall bringen mußte.

3. "HAUSMÄRCHEN", IDENTITÄTSPROBLEMATIK, SCHICKSALSSYMBOLIK

"Das Hausmärchen", schreibt Arnim an Grimm (Steig III, 402), "ist der Mittelpunkt, was in dem Buche vorkommt, wird immer in gewisser Beziehung darauf stehen".

Dieses Hausmärchen ist ein romantischer Erlösungsmythos, in dem Liebe, Glaube, Poesie und kindliche Unschuld sich vereinen zur Befreiung und Einung eines unter der Herrschaft habgieriger Grafen zerfallenden Königreichs. Die Kronenwächter tragen es Berthold vor, nachdem er seine persönlichen Angelegenheiten geordnet hat - der Brunnen ist fertig -, deutlich als Aufforderung, sich nun der Politik jener "alten Kräfte" zur Verfügung zu stellen. Das Märchen ist in vierzehn Bildern auf alte Glasfenster gemalt (die Berthold dann im Brunnenhaus verbaut), sein Inhalt ist kurz folgender:

Ein König durchstreift jagend, verzweifelt über den Tod seiner Eltern, den Schwarzwald, während seine Grafen sein Erbe, das er zum Wohl des Volks zurückgelassen hat, benutzen "zur Unterdrückung des Volks durch fremde Söldner" (687). Ein silberner Vogel, den er umsonst zu schießen versucht, lockt ihn immer tiefer in die Wildnis, es wird immer unheimlicher und chaotischer: "welche Bäume umgaben ihn und welche zusammengestürzten Haufen von Baumstämmen, auf denen riesenhafte Pilze mit bunten Giftfarben erwachsen waren, hier sah er eine Eidechse, die auf den Tod einer Schlange lauerte..." (688). Auf einem Felsen über einem Wassersturz wird ihm die Stimme des Vogels, gegen den er gewütet hatte, zur Warnung: "Ein Schritt noch, und es ist der letzte", schien er zu sagen (689), und da betet der König zum ersten Mal wieder seit jenem Unglück: "in Finsternis und Wildnis kam der Geist des Herrn über ihn" (689). Willig läßt er sich nun von dem Vogel führen, bis er halb verschmachtet an eine mit weißen Rosenbüschen umflochtene Hütte kommt, die einem Greis mit langem Bart, der an einem Pult schreibt, und seinen zwölf Söhnen gehört. - Im Halbschlaf sieht der König den Alten mit einem Dolch vor sich stehen, drohende Worte wegen versäumter Pflichten ausstoßend. Es handelt sich um ein Spiel von einem alten Schottenkönig, das der Greis mit seinen Söhnen aufführt, natürlich, um den König auf den Weg zur Tat zurückzubringen. Das Spiel hat Erfolg, ein Sohn des Alten führt den König aus dem Wald zum Schloß des Grafen der Nibelungen, wo gerade die Großen des Reichs versammelt sind. Er dringt dort ein, - befreit eine wunderschöne Jungfrau, deren Liebe der Graf erzwingen will, - überrumpelt den Grafen selbst, der ihm wieder den Eid schwört, und mit Hilfe von des Grafen Soldaten unterwirft er sich auch wieder die anderen Großen, woraufhin er die Jungfrau als seine Königin vorführt (sie tritt auf mit dem "Morgenstern" und erinnert an den Knaben, der ihn geführt hatte und der wie ein "Engel" erscheint (697). - Die "Sehnsucht nach dem alten Sänger, der gleichsam eine Seele seines Volkes, unbewußt sein Schicksal gelenkt hatte" (698), treibt ihn zurück nach dem Wald. Auf "einer grünen Fläche, die von hohen Eichen umgeben war", erblickt er eine wunderbare Kapelle, "aus weiß blühenden Rosenbüschen geflochten, von Efeu umrankt", die "ein Kreuz über der Erde bildete". Der Alte und seine Söhne sind verschwunden, an der Stelle des Schreibpultes steht ein Altar, den ein Kreuz bezeichnet, welches die Morgensonne bestrahlt. Der König beschließt, "dem Erlöser hier, wo er vom Trübsinn zur Freude erlöst worden, eine Kirche zu erbauen". Als er über den Bau nachsinnt, erblickt er Bienen, welche in Wachs die Kapelle nachgebildet hatten. Nach der Kapelle der Bienen, die "zur Sonne wie ein Kreuz geordnet" auffliegen, soll der Bau angelegt werden: "Dreifach wird die Kirche schimmern, In dem Wachs, im Rosendach, Aus Granit die Werkleut zimmern Nun die Wölbung auch danach" (698-99). - Zurück bei der Braut, erfährt er das Geheimnis des Greises und seiner zwölf Söhne. Er ist der Vater der Braut, der Sänger David aus Ungarn, dessen zwölf Söhne von Attila umgebracht worden waren. In Erinnerung, daß er ja diese Söhne erlebt hatte, schaudert es den König, weil er im "Schwarzwalde schon über die Grenze des Lebens hinüber gestiegen gewesen, aber durch Warnung in dessen Mitte wieder zurück getreten sei" (700). - Seine Jagdgenossen bringen dann den silbernen Vogel, der sich als die verstorbene Frau des alten Sängers erweist. Mit dem Vogel auf der Hand schreibt nun der Alte ein prophetisches Heldengedicht, - ruht er aus, so schlüpft seine Seele als goldener Vogel aus seinem Mund und vereinigt sich mit der silbernen Frau. - Als die Königin einen Sohn gebiert, hat auch der Vogel aus zwölf goldenen Eiern zwölf silberne Vögel mit goldenen Flügeln ausgebrütet, welche die Schutzengel des Königssohns werden und ihn pflegen. - Inzwischen hat der Graf der Nibelungen weiterhin intrigiert, und auf einer Wallfahrt zur Erlöserkirche werden König und Königin erschlagen. In dem Augenblick heben die Vögel den Königssohn aus der Wiege und bringen ihn zu einem Einsiedler in der Nähe der Erlöserkirche, wo er mit der Milch einer Hirschin aufgezogen wird. Früh lernt er, "wie das Bestehen des Glaubens vom Wohl der Staaten abhänge, denn seit der allgemeinen Verwirrung sei kein Stein zum Bau der Kirche angefahren worden" (708). - Attila überfällt das Reich und verspricht, dem die Krone zu geben, der ihn im Zweikampf besiege. Niemand wagt sich heraus, außer dem Königsohn. Nachdem seine Schutzengel, deren Mission jetzt erfüllt ist, von ihm Abschied genommen haben, tötet er Attila. Der Einsiedel beschwört seine Identität und setzt ihm die Krone auf: "Das Land ist frei, der König weise, die Kirche wurde vollendet". - Das Märchen schließt mit den provokativen Versen:

> Doch die Zeit will neue Taten
> Und erzählt ist schon genug
> Gott im Himmel wird uns raten,
> Schützt uns vor des Teufels Trug,
> Wird uns seine Sänger senden
> In des Schmerzes Einsamkeit,
> Daß wir ahnden, wie zu enden
> Das Beginnen dieser Zeit. (709)

Die Beziehungen zwischen Märchen und der Romanrealität sind deutlich. In beiden Fällen werden ein in der Auflösung befindliches Reich und der Niedergang königlicher Macht beschrieben, und in beiden Fällen ist die Erlöseridee dem Mythos vom reinen Kind abgewonnen. Das Märchen gibt den kritischen Begriff einer Kunst, die Geschichtskenntnis und Religiosität zur Tat fürs Volk verbindet, nach dem auch Berthold seinen Lebensweg antritt. Der Unterschied ist natürlich, daß die in der Erlöserkapelle symbolisierte Wiedergeburt der mythischen Einheit von Natur, Gott und Kunst (das böse Gold im Kreuz gebunden, das die Morgensonne bestrahlt) als Leitprinzip glücklicher Politik in der Realität des Romans nicht stattfindet.

Die Idee des Märchens wird mit den Figuren und den einzelnen Stationen der Romanhandlung konkret durch ein Netz von Symbolentsprechungen verknüpft. Analogien sind der "Alte" Bertholds und der alte Sänger, die Chronik und die prophetischen und warnenden "alten Bücher" des Greises. Berthold wird von einer Ziege gesäugt, als er auf den Turm geliefert wird, analog der Hirschin; er hat einen Beschützervogel, die Elster, die ihn in einen wunderbaren alten Garten führt (analog der grünen Fläche mit Kapelle, - als "grüne Rasenfläche" erscheint Berthold z.B. auch das Tuch zu seinem Jugendkleid: grün der Unschuld und Hoffnung). Auch er gelangt hier zu einem heiligen Erlöserort, der Kapelle der heiligen drei Könige. Das Kirchensymbol, von grundlegender Bedeutung für Arnim, wird mehrfach benutzt. Anna erhält von den Kronenwächtern als Hochzeitsgeschenk ein goldenes kleines Münster mit Muttergottesbild, - Berthold selbst stiftet eine Kapelle, als er von der Geburt seines Sohnes erfährt. - Vogel-, Goldsymbolik und erotische Symbolik gehören natürlich grundsätzlich zusammen; an dem Ort, den die Elster Berthold zeigt, liegt der Goldschatz und beginnt seine Liebesgeschichte mit Apollonia. Als sein Vater, der Ritter (der sich wie der König des Märchens im Gebirge verborgen hält) durch den Raub der Krone von der Kronenburg den ersten Schritt zur Versöhnung mit Maximilian getan hat, - wirft er - zum Zeichen seines Sieges, der die Verlobung ermöglicht - über die Geliebte im Wald ein goldenes Netz, in das Vogelgeschrei sie lockt (575). - Für die Kronenwächter schließlich ist das Hausmärchen selbst ein prophetisches Gedicht, die Erlösung durch ein Stauferkind verkündigend. Sie identifizieren sich offenbar mit den Schutzengeln des Königsohns, führen wie sie Stauferkinder aus ihren Wiegen fort in die heilige Einsamkeit der gläsernen, durch paradiesisches Klima ausgezeichneten Kronenburg im Bodensee. Die Kronenburg, wo die Stauferkrone für den Erwählten aufbewahrt wird, ist in ihrer kristallenen Pracht eine zum "Strahlenbild fleckenloser Vollendung" aus der Vergangenheit überhöhte Erlöserkapelle und so das zentrale Symbol für die Idee des Hausmärchens in der Romanrealität.

Die Wirklichkeit ist bei Arnim jedoch nicht im Sinne des romantischen Märchens 'erlösbar'. Wie die himmlischen Silbertaler im Besitz Golnos bezeichnen die den Erlösungssymbolen des Märchens in der Realität entsprechenden Symbole Sehnsüchte, die nicht in Erfüllung gehen. Der strahlenden, hoffnungsvollen Kronenburg steht Schloß Hohenstock gegenüber, ein Bild der Hoffnungslosigkeit und Dekadenz. Die zwitschernden Vögel des Ritters und Webers verkünden nur, daß er und seine Liebe in einem goldenen Netz gefangen sind, insofern die Kronenwächter den Faden, mit dem er seine Zukunft zu weben gedachte, mit dem Schwert abschneiden. Bertholds Vorzeit-Entdeckung ist von vornherein ein zweifelhaftes Unternehmen. Das "Haus Barbarossas", welches das Haus seiner Zukunft wird, also das Abbild in der Kapelle ist beispielsweise ein - Sarg... Bedeutet das nun, daß Arnim die romantischen Erlösungsansprüche prinzipiell, als Ausdruck irrationaler Geschichts- und Bewußtseinsdeutung, ablehnt? Entsteht aus der Darstellung der Differenz von mythischer Utopie und sozialer Realität jener Widerspruch zwischen "beschreibender" Poesie und romantischen Interessen, von dem Immermann schrieb?

Eine der romantischen entgegengesetzte Erzählhaltung im Bildungs- und Erziehungsroman müßte die Erklärung von Bewußtsein aus Erziehung und Milieu sein. - Bertholds unglückliches Ende folgt aus der Tatsache, daß er die Wirklichkeit sozusagen durch die rosarote Brille seiner ritterromantischen Sehnsüchte betrachtet. Wie gesagt, läßt sich dies Resultat weitgehend psychologisch-rational als Identifikationsproblem erklären. Aufgrund seiner isolierten Erziehung erhalten die mythischen Helden der kindlichen Selbstverwirklichungsphantasien eine übergewichtige Kompensationsfunktion, die sich in dreißigjähriger "Kränklichkeit" und Studienzeit in Fixierung verwandelt. Der Leser wird darüber ins Bild gesetzt zu Anfang des zweiten Buches, als der gealterte Berthold in seinem Studierzimmer vorgestellt wird, klagend, "wie er weder in Ehre noch Minne gleich seinen Lieblingen in den Büchern irgend etwas getan" (593). Die Fixierung auf diese Lieblinge (er redet von Tristan z.B.) wird offenkundig durch sein Verhältnis zu dem Ritterpuppenspiel im Rosengarten (einer negativen Entsprechung der Rosenkapelle im Märchen) seines Rittersaals, eine Art heiliger Ort, den nur der alte Fingerling mit ihm betreten darf: "Bertholds Wonne war der Waffensaal ... Da las er ihm vor aus den Heldenbüchern, jeder Hauptheld hatte da seine Rüstung, sein eigen benanntes Schwert und der Rosengarten war eigen künstlich mit gemachten Bäumen und Blumen, welche die natürlichen übertrafen und mit Bildern von Wachs ausgeführt, so daß er die Mitte des Saals einnahm, und daß die beiden alten Spielkameraden mit den Figuren zusammensetzten, was sich an Hauptbegebenheiten im Buche zutrug" (614). Als nun Berthold nach der Transfusion sich täglich kräftiger fühlt, wird er unzufrieden mit dem Los des 'Vorzeit-Spielers' und beklagt sich bei Fingerling: "Du mußt mich recht verlachen, gutes altes Herz, aber unsre Chriemhilde scheint mir nicht mehr so lebendig wie sonst, und Siegfried wird so steif und unbehülflich in seinem Wesen, daß ich lieber einmal selbst ihn vorstellen möchte. Besonders verdrießlich scheinen mir aber unsre hölzernen Pferde, kein gutes Haar ist mehr daran; - ich möchte gern einmal selbst reiten, aber die Mutter darf es nicht wissen... ich möchte, daß mir etwas Ritterliches begegne wie dem Siegfried, ich tue in Gedanken tausend Streiche in die Luft" (615). Diese ans Tragi-Komische grenzende Naivität im Umgang mit den Puppen läßt keinen Zweifel daran, daß er sich mit ihnen identifiziert. Siegfried ist kein Zeitvertreib, sondern ein zweites Ich, - eine Realisierung sozusagen des "Alten", der Bertholds unbewußte Bindung an die Ahnen verkörpert oder genauer: sein 'eigentliches Ich', denn wie Siegfried möchte Berthold ja leben, während ihm seine soziale Rolle als Bürger nur lästig ist. Er erfüllt sich seine ritterlichen Sehnsüchte denn auch, - im Gesellenstechen in Augsburg gewinnt er Ehre und Becher, worauf er zeitlebens ungeheuerlich stolz sein wird. Daß er dabei eine ziemlich lächerliche Figur macht (die ungeschickten Gesellen verwickeln sich in ihre Gäule und fallen beinahe von selbst zusammen), entgeht ihm. Warnende 'Zeichen', wie z.B. der Zusammenbruch mit dem "trojanischen" Pferd der Komödianten im Rathaussaal, wo er das Reiten üben wollte, mißversteht er: "ich habe gefühlt, daß ich recht dazu geschickt bin, denn die Besonnenheit hat mich keinen Augenblick verlassen" (616). - Wie diese Züge schon zeigen, entspricht der Siegfried-Identifikation und der Abneigung gegen die Bürgerrolle eine Tendenz, sich über die unsichere und zweifelhafte Situation der Ritter seiner Zeit Illusionen zu machen: "Es kamen Ritter aus der Gegend ... Er lernte aus ihren Erzählungen das kriegerische Jagdleben der kleinen Ritterstaaten von der glänzenden Seite kennen und fühlte sich da mehr zu Hause als bei sich selbst, wo ihm die Schreibstube ... unleidlich fiel, sobald einer jener ritterlichen Gesellen ihn in der Zahlstube besuchte". - Er hält es nicht nur für möglich, sondern auch für sinnvoll, nach Siegfrieds Bild ritterlich aufzutreten: "Über seine früheren Jahre suchte er in sich ein Vergessen zu verbreiten, der Rosengarten und das ritterliche Puppenspiel ward eingepackt, er glaubte sich selbst zum fertigen Ritter bilden zu können, weil er sich gesund fühlte" (677). An dieser Stelle fällt auch der erste der sehr seltenen Kommentare Arnims, die das Interesse an einer rationalen Beschreibung der Entstehung 'falschen Bewußtseins' zum Ausdruck bringen: "Es war diese Zeit des Glücks gefährlich für ihn, der so lange durch seine Erziehung und seine Schwächlichkeit von der Welt in eignen Wünschen und Leidenschaften abgehalten worden, er hatte sie nur immer durch das gleichgültige Nebelmeer der öffentlichen Geschäfte, der eignen Bedürftigkeit und des Erwerbs angeschaut" (667). Das ist der Augenblick, als ihm seine privaten Wünsche alle erfüllt sind und er sich anschickt, mit den Kronenwächtern in die Politik einzutreten. Der Krieg für die Reichsfreiheit Waiblingens ist dann eine Äußerung seiner ritterromantischen 'Blindheit': "Der eifrige Berthold, durch Erziehung, Kränklichkeit, Reichtum und Bildung immerdar von der Masse der Bürger getrennt und nur in Geschäften mit ihnen bekannt, setzte voraus, daß ihre Gesinnung ganz mit der seinen übereinstimme, daß sie als eine Wohltat annehmen würden, was er für ein Glück erkenne" (770). - Am Ende "fühlte" er, "daß er die Stadt nicht gekannt, sie in seine Hoffnungen habe zwingen wollen" (773). Seine vollkommene Ratlosigkeit nach dem Scheitern des Unternehmens ist ebenfalls psychologisch-logisch, - seine Identität und sein Selbstvertrauen stürzen zusammen, er 'versteht die Welt nicht mehr'.

Welche Schlüsse zieht Arnim nun hieraus im Hinblick auf den mythologischen Apparat, auf den "was in dem Buche vorkommt" immer irgendwie bezogen sei? - Diese Frage wurde mit den verschiedenen Erziehungsgeschichten in der "Gräfin Dolores" bereits aufgeworfen. Die Darstellung von Erziehungs- und Milieueinflüssen (die Gräfin aus dem leichtsinnigen Schloß, Frank und die Mutter mit dem Verführungskomplex...) wurde dort nicht beantwortet durch die Feststellung einer sozio-psychologischen Gesetzmäßigkeit beispielsweise, welche den mythischen Schicksalsbegriff hätte überflüssig machen müssen, sondern durch den Bußgedanken: der Rückgriff in die Vergangenheit demonstriert lediglich die Schwere eines Geschicks, das abzubüßen ist. Auf der Figur liegt ein - weit in die Geschichte zurückverfolgbarer - Fluch, - analog Graf Karls Feststellung, seine Zeit büße "der Vorzeit schwere Sünde" ab. - Eben dies ist der Kern auch in Bertholds Problematik. Er trägt den Fluch der zerstrittenen Stauferlinien, der ihm als Leitmotiv in die Wiege mitgegeben wird mit dem Satz: "wenn feindliche Stämme sich innerlich versöhnen, wird der Friede kommen auf Erden" (535).

Dieser Fluch nun wird recht konkret in Bertholds Lebenspraxis überführt, - im Sinne der romantischen Schicksalstragödie wird er an magische Requisiten geheftet. Dem Schatz der Ahnen, der die Chance einer glücklichen Wendung des staufischen Schicksals symbolisiert, liegen Messer und Beutel bei, "bedeutsame Gaben alter Zeit", nämlich als Symbole der Bewußtseinsverteufelung. Das wird deutlich, als Frau Anna vor der Hochzeit beides zusammen mit Bertholds grünem Jugendkleid auf dem Boden entdeckt und Messer und Beutel mit einer nicht ganz erklärbaren Gier an sich nimmt, denn sie kann sich wohl schönere Messer leisten, und der Beutel erscheint alt und wertlos. Doch die Sache ist eben nicht ganz geheuer, und durch ihre Bindung an Berthold wird Anna auch an den Fluch der Staufer gebunden: "So kamen beide bedeutsame Gaben alter Zeit, das einzige, was von dem Schatze Bertholds übrig, in die Gewalt der schönen Braut, die ihre Seltsamkeit und die Gefahr, welche damit verbunden, nicht ahnden konnte..." (637). Die Gefahr zeigt sich dann, als Berthold im Traum mit eben diesem Messer den "Alten", sein besseres Ich, ersticht (729) und als Frau Anna auf Hohenstock dies Messer dem Konrad, der eben zur feindlichen Linie des Hauses gehört, durch die Hand rammt, weil er Berthold beleidigen will (745). ... Der zweite unfertige Teil des Romans, der ja eine frühere Fassung des Kronenwächterstoffes darstellt, gibt über die Magie dieser Requisiten nähere Auskunft. Anton wird nicht nur sehr viel üppiger als die Figuren des späteren Teils von Dämonen und Teufeln geplagt, sondern auch mit einem festen Degen, womit er unzählige Morde teils *wider* seinen Willen begeht, und der Beutel ist ein Fortunatussäckel - ein Verführungssymbol also ebenfalls -, mit dessen Reichtum er Unglück und Verderben um sich streut.

Die Degen-Messer-Goldsymbolik leitet über zur Blutsymbolik. - Ebenfalls im zweiten Teil findet sich die Geschichte von Antons und Annas Sohn, der seinen Halbbruder, das erste Kind Annas von Berthold, mit dem gefährlichen alten Messer "schlachtet" und das Blut trinkt. Hier tritt, wie öfter auch in Bertholds Jugendgeschichte, ein mystischer Mann auf, der durch seine Anwesenheit den kleinen Anton zwingt, sich wie ein Schlachterhund zu fühlen, der das Blut des Schlachtopfers trinken muß. Und es wird ruchbar, der kleine Anton habe nur das Blut zurückgenommen, das der Vater des toten Brüderchens, Berthold, von seinem Vater Anton erhalten habe, - durch die Bluttransfusion des Faust (911 ff).

So erklärt sich also die Bluttransfusion als ein 'Blutschuld'-Symbol. Die Transfusion sollte ein Versöhnungsakt sein, der Versuch des Ausgleichs zwischen den feindlichen Stauferlinien: Berthold und Anton befinden sich in extremen, gegensätzlichen Krankheitszuständen, - der Bluttausch macht beide "normal". Die Bewußtseinsrealität beider wird jedoch nicht verändert, es ist nur ein Heilen von Symptomen, also ein 'künstlicher' Ausgleichsversuch, der den Fluch nicht bricht, sondern ihn verstärkt: Berthold bindet sich durch das Vertrauen auf dieses 'Kunststück' an den leibhaftigen Teufel, den Dr. Faust, der dann logisch seine "Sehnsucht nach der Unterwelt" während der Brunnengeschichte aufreizt und ihn 'verführt', den Brunnen an der Stelle zu graben, wo das "Verderben" mit dem Tode des Bergmanns zu Tage treten muß: "Es rief ihm, dies sei die Stimme eines warnenden Engels, aber der Teufel stand auch schon neben ihm, der Doktor Faust... Er fühlte Bertholds Puls und sagte, sein Blut verdicke sich, es fehle ihm entweder an Luftbewegung, oder an fleißigem Gebrauch des reinen Wassers...". Unter seinen Füßen fühlt Faust eine Quelle, und er droht Berthold alle Pestilenz an, falls er diesem Wink nicht folge: "Ihr müßt hier einen Brunnen graben, oder ich schreie in der ganzen Stadt, der Bürgermeister ist ein toter Mann, der nur durch Bürgerblut lebt, und ihr braucht nur sein Blut dem Anton abzuzapfen, so muß er wie ein Blutigel, dem Salz aufgestreut wird, auch sein Blut entlassen. Nun Herr, ich habe Euch in meiner Gewalt, es ergibt sich keiner umsonst dem Teufel..." (670-71). Daß er recht hat, zeigt sich dann am Ende, als das Drachenmesser, von Faust geführt, in Antons Arm fährt an eben der Stelle, wo der Transfusionsschlauch angesetzt wurde. Antons Blut springt heraus, und damit stirbt Berthold - über den Gräbern seiner Ahnen. - Magisch sind also Anton, Faust und Berthold mit dem Geschick der Staufer verbunden; mit dem Blut der Ahnen gelangt der Fluch dieses Geschlechts auf die Nachkommen. Mit der Bluttransfusion verfällt Berthold der "Gefahr", die das Messer symbolisiert, und wird magisch einem Geschick unterworfen, das im Blutbad am Ende resultiert: "Blut soll es regnen", heißt es, als der Widerstand der Städter gegen

Bertholds Helfer aus dem Kreis der Kronenwächter und Staufer wächst. Die Schlacht, Antons Unfall und Bertholds Tod tragen den Charakter einer notwendigen Entladung eines lang grollenden Erdbebens.

Den 'unterirdischen' Schicksalssymbolen entspricht ein 'überirdisches', mit dem Bertholds Laufbahn beginnt. Sein erster Tag im Roman wird von einer Sonnenfinsternis beschattet, welche die Situation unheilvoll verdüstert, indem sie durch eine Reihe von Beziehungen auf Tod und Teufel modifiziert wird. (Mit einer Sonnenfinsternis als Symbol der Gewalt und der Verfinsterung des Glaubens beginnt auch "Die Kirchenordnung", in der das Unheil sich ebenfalls mit dem Tod eines Bergmanns 'entlädt'). - Hergestellt werden diese Beziehungen durch den alten Martin, der mit Bertholds Geschichte bereits in unheilvoller Weise verknüpft ist (im Dienst der Kronenwächter erschlug er Bertholds Vater) und der sich hier als Träger und Prophet eines finsteren Geschickes fühlt. - Bemerkt wird die Sonnenfinsternis bezeichnenderweise gerade in dem Augenblick, als Martin den Satz: "aber erst, wenn feindliche Stämme sich innerlich versöhnen und verbinden, wird der Friede kommen auf Erden" (532) ausgesprochen hat, und er versteht dies Ereignis sofort als Antwort auf einen 'Verrat': als ein in die Geheimnisse der Kronenwächter Eingeweihter ist er zum Schweigen verpflichtet: "ich sagte wieder ein Wort zu viel, das geht mir nicht ungestraft hin, seht nur, die Sonne verliert ihren Glanz... Die Bürger laufen umher und wissen nicht, woher die Strafe ihnen kommt. Hört ihr's da unten, das brachte ich euch!" Auf des Schreibers Ermahnung hin, er solle sich schämen, das Unheil an den Haaren herbeizuziehen, spricht Martin "in sich": "Wär's mit der Scham abgetan und mit der Furcht ... ich wollte mich fürchten und meiner Frucht mich schämen und den Spott der Kinder tragen; mir aber ist es mehr als eine Sonnenfinsternis, was ich gesehen; vergebens ziehen die Tauben ihre Kreise um mich her, sie können mich nicht schützen" (533). - Martin spielt für Bertholds Zukunft eine entscheidende Rolle, die 'zwielichtig' ist wie die Situation der Sonnenfinsternis. Er übernimmt im Sinne des Heilsglaubens der Kronenwächter ("So seltsam rufen sie die Ihren", und: "Gott führt auf immer neuen Wegen zum Heil, unser Leben ist wie ein Märchen" ist seine Deutung der Entdeckung des Barbarossa-Palastes 537, 539) durch Bertholds Erziehung, er kennt aber auch die dunklen Flecken in der Geschichte des Knaben und der Kronenwächter. Sein 'trüber Blick' (symbolisch unterstrichen durch den "Flecken", den er seit der Sonnenfinsternis im Auge zurückbehalten hat, 539) in die Zukunft ist also gerechtfertigt, im Hinblick auf Bertholds Schicksal wie auf sein eigenes. Er gibt prophetisch jener "unerbittlichen Gewalt" (741) Ausdruck, in der nach des Ehrenhalt Worten auf Schloß Hohenstock alle diejenigen stehen, an denen die Kronenwächter (die "alten Kräfte in der Zeit") ein Interesse haben. Martin erlebt diese Gewalt, als er Berthold im alten Garten von der Kronenburg erzählt. Da bricht er wiederum seine Schweigepflicht, und "in dem Augenblick zischte ein Pfeil neben dem Knaben vorüber in Martins Herz" ... (542). -

Auf das mit der Sonnenfinsternis beschworene 'Unheil' wird durch eine Reihe von schwarz-weiß = Teufel-Todbeziehungen vorbereitet. Die Einführung der Figuren auf dem Turm (der "Bühne, welche den Anfang unsrer Geschichten aus den engen Verhältnissen eines kleineren Städtleins zum Seltsamen erhebt", 522) geschieht so: "Auf dem Turme saß der alte, trockene Martin, der neue Turmwächter im verschossenen, roten Wams, den er noch aus dem italienischen Kriege mitgebracht hatte, zwischen Frau Hildegard, mit der er heute vermählt war, und Berthold, dem Ratsschreiber, wie auf dem Felde des Schachbretts zwischen Schwarz und Weiß, denn jene war reichlich in weißem, selbstgewebten Leinen, dieser sehr anständig in schwarzem Tuch gekleidet. Martin sprach davon, wie er sonst auf Schlachtfeldern zwischen Tod und Teufel und jetzt wie im Schachspiel fröhlich zwischen Freund und Frau sitze..." (524). Die Situation der Lebenshoffnung (Hochzeit) 'enthält' also bereits im ersten Satz "Tod und Teufel", und mit der Ankunft Bertholds 'realisiert' sich diese der Erinnerung abgewonnene Andeutung auch schon symbolisch: Berthold wird im Korb auf den Turm gehievt unter den Worten des Reiters: "Nimm das, was im Eimer liegt, zum Hochzeitgeschenk, sei eingedenk deines Schwures, kein Turm ist zu hoch, kein Grab zu tief für Gottes Richterschwert und für unsern Pfeil" (526). - Berthold ("ein feines Bild aus Elfenbein", 527) liegt in einem Kästchen auf einem Totenschädel und auf alten Goldstücken (aus Konradins Zeit), und in dem Schädel (dem von Bertholds Vater natürlich) steckt etwas "Blinkendes", nämlich der Ehering. Hier sind bereits alle für Bertholds Zukunft entscheidende Schicksalssymbole versammelt, - Todeszeichen, Goldschatz aus alter Zeit und Zeichen der Gewalt. Das strahlende Weiß des "elfenbeinernen" Kindes und des Kästchens mit Schädel setzt sich fort im Schimmel des Reiters, dessen "weißer Mantel im Winde gleich einem Segel aufbauchte" und der "sich bald gleich einer Schneewolke unter den stumpfen Weiden der Straße verlor" (526). Martin blickt ihm nach, noch mit dem Satz auf den Lippen: "Ha ... es hat das Zeichen", der ihm angesichts des Kindes entfahren war. -

Das Weiß des Todes auf den weißen Feldern des Schachbrettes und das Weiß dieser Szene wird dann gemischt mit dem Schwarz des Teufels durch die Ziege, die das Bäby säugt, - von Frau Hildegard mit gefalteten Händen als "Wunder" ausgerufen, von Martin folgendermaßen kommentiert: "Sieh da das weiße Kind unter dem gehörnten schwarzen Tiere, das dem Teufel ähnlich sieht, so kommt die Unschuld zur Schuld und nährt sich von ihr, so soll auch ich das Kind ernähren und bin nicht wert solcher himmlischen Gnade..." (528). Über die schwarzweiße Elster[1] wird diese Farbsymbolik dann fortgesetzt und erhält sozusagen ihr

---

1) Vgl. Jörn Göres, der die Elster als ein "Bild des Zweifels" seit Parzifal interpretiert. a.a.O. S. 141

erstes episches Resultat mit der Sonnenfinsternis, die den Zusammenhang von Symbol und Bedeutung in Hinblick auf die konkrete Geschichte Bertholds fixiert. - Wie gesagt wird Bertholds Schicksal so auch vom ersten Augenblick an in eine pejorative Beziehung zum Hausmärchen gebracht; alle Symbole, die dort Erlösung verkünden im Zeichen der überm Kreuz aufstrahlenden Morgensonne, - Gold, Silberglanz (im Kästchen des Babys hier), die "Sympathien" der Tiere als Unschuldszeichen, sind hier bereits dialektisch nit den Farben der Hölle verbunden.

Man könnte diese Schwarz-Weißbeziehung weiter verfolgen in der von Rot und Grün. - Martin sitzt ja zu Anfang im "roten verschossenen Wams" zwischen Schwarz und Weiß auf dem Schachbrett. Berthold erhält später das grüne Unschuldskleid seiner Jugend; und beide Figuren werden (typisch schematisch für Arnims Farbgebung) als "Mann im roten Wams mit einem Knaben im grünen Wams" (543) gesehen. Dieses typisierende Rot von Kleidern und Umgebung ist die Farbe der Aktiven, der 'Tatmenschen' und Sinnlichen (wie Anton, Faust, Frau Anna, - vgl. Dolores) und daher durch Gewalt Gefährdeten. Grün dagegen ist die Farbe der Träumer z.B. (vgl. Karl), der Kindlich-Unschuldigen etc. - Mit dem Rot Martins, des 'Mannes vom Schwert', ist die Farbe der Gewalt also auch in Bertholds Kindheitsbereich von Anfang an eingeführt; von hier geht die Linie der 'Zeichen' übers Messer des Schatzes und die Bluttransfusion... Doch führt die Verfolgung dieser Art von Beziehungen die Interpretation jetzt nicht auf neue Wege.[1)]

Berthold wird also geboren und in die Erzählung eingeführt unterm Zeichen dräuenden Unheils. Als Antwort auf die Frage nach einem Widerspruch zwischen "beschreibenden"-aufklärerischen und romantischen Interessen der Darstellung bedeutet die Schicksalssymbolik und die Tatsache, daß Arnims psychologische Beschreibung der Identitätsproblematik in der Deskription bestimmter Züge verharrt: die an mehreren Stellen gegebenen rational-tiefenpsychologischen Einblicke sind der Demonstration eines mythologisch gedeuteten Schicksals unterworfen. - Daher ist es auch relativ müßig, zu überlegen, ob z.B. die Schwarz-Weißsymbolik Prädestination oder nur die Mischung von 'Gut und Böse' im menschlichen Bewußtsein meint. Die mythischen Mächte sprechen jedenfalls das erste und das letzte Wort, - Berthold wird keine Chance gegeben, aus dem kosmologisch-mythologischen Symbolzirkel auszubrechen. Solange er noch Hoffnungen trägt, den finste-

---

1) Farbsymbolik deskribieren ausführlich A. Best (Arnims"Kronenwächter", Berlin, 1931-32) und P. Esser (Über die Sprache in Achim von Arnims Roman "Die Kronenwächter". Diss. Köln 1937). E.L. Offermanns konkretisiert die rot-grün Symbolik dann als Zeitensymbolik, ausgehend vom grünen Studentenkleid Karls und dem typischen Rot der Dolores. Die Problematik in den Kronenwächtern berücksichtigt er.

ren unterirdischen Mächten zu widerstehen, ist er ein unschuldig-unbewußtes Kind. Und sein erstes Auftreten im Zustand der Reife zeigt ihn bereits versunken in der 'Hölle' des Ich ("Je tiefer wir in uns versinken, Je näher dringen wir zur Hölle", 408) und schuldbelastet. Die Frage nach der Freiheit des Willens wird aufgrund mythischer Belastung gar nicht erst gestellt, - wie sollte so ihre gesellschaftskritische Beantwortung möglich sein?

Antiromantisch ist Arnims Darstellung insofern, als Berthold aus seiner 'Innenwelt' das Unheil nicht ausschließen kann: Messer und Beutel liegen auf dem Dachboden verschlossen, doch das Unrecht lauert in den 'Tiefen' des Ich, - eben als Untätigkeit und Eigenliebe. Daß Berthold keinen anderen Weg als den von kindlicher Unschuld zur Schuld gehen kann, daran lassen Arnims Reflexionen anläßlich des Brunnenbaus keinen Zweifel. Der Bergmann, Bertholds Stellvertreter, der die "Sehnsucht nach der Unterwelt" realisieren soll, kommt um in den Tiefen aufgrund höherer Notwendigkeit: "das Unheil war so tief verborgen, er mußte es doch zu Tage fördern" (680). Und Bertholds Bauplan wird einige Seiten vorher kommentiert: "So tief hat des Himmels Gnade das Verderben versteckt, der Mensch sucht es trotz allen Gefahren auf, oft scheint es, als ob sein höchster Mut erst in der Sehnsucht nach dem Verderblichen erwache, als ob die Überzeugung des Guten nicht diese heftige Flamme in ihm entzünden könne" (657).

Die realistischen Elemente der "Kronenwächter" setzen also den mythologischen Schicksalsbegriff nicht aufklärerisch außer Kraft. Das Bild von Tod, Gewalt und Teufel auf dem Schachbrett, mit dem die 'Turmgesellschaft' in den Roman eingeführt wird, ist für Bertholds Leben bestimmend. Wie die Turmsituation es ausdrückt, schwebt er zwischen Himmel und Hölle, als Spielball beider. Trotz der rationalistischen Darstellung von psychologischen und sozialen E f f e k t e n der Schuld ist dies Verfahren urromantisch: Schuld, gewissermaßen zwischen den Zeilen als Resultat sozialer Bedingungen deskribiert, wird als soziales Problem 'aufgehoben' durch Anverwandlung an ein von höheren Mächten gelenktes 'Geschick'. Berthold muß 'fallen', da der Fluch einer frevelhaften Geschichte auf ihm lastet. -

4. GESCHICHTE, REALISMUS (GROTESKE) UND PHANTASTIK

Georg Lukacs entwickelt die Voraussetzungen eines historischen Romans, der auf sozialgeschichtliche, aufklärerische Darstellung Anspruch erheben kann, an Walter Scott[1]. Hier einige der wichtigsten Punkte: Scott beschreibt historische Krisen, in denen der Klassenkampf rückläufiger und progressiver Tendenzen sichtbar

1) Georg Lukacs, Der historische Roman, in: G.L. Werke, Probleme des Realismus III, Bd. 6, Neuwied u. Berlin 1965. Bes. S. 36 ff und zu Arnim S. 82 und 302

wird, und die allgemeine Krise spiegelt sich in den Geschichten der Figuren. - Er strebt Totalität des historischen Verlaufs und Milieus an, vermeidet aber die Häufung von Ereignissen und Details. Er gibt typische Situationen, die die Bedeutung des 'großen' Geschehens im individuellen Leben erkennen lassen. Das gleiche gilt für die 'innere' Landschaft; die psychologische Entwicklung der Figuren ist nicht vordringlich, sondern ihre Funktion als Repräsentanten bestimmter Gruppen, zeitlicher Umstände etc. Sie treten 'fertig' auf als historisch-psychologische Einheiten, was nicht heißt, daß auf Individualität kein Wert gelegt würde. - Obwohl die Großen der Geschichte für Scott unentbehrlich sind, erhebt er seine Helden doch nie in romantischer Weise auf ein Piedestal. Wichtig ist die Interaktion von Volk und Held, d.h. der Held geht sozusagen durch die Schule der Leiden des Volks, und seine Aktionen erhalten so Allgemeingültigkeit...

Arnim behandelt Lukacs nicht; er nennt ihn im Zusammenhang mit "romantischen Reaktionären" und stellt ihn zusammen mit Novalis, Fouque und Stifter. "Romantische Reaktion" heißt dabei "Legitimismus", Verherrlichung der Stauferzeit und feudaler Institutionen und die Mythisierung des 'Einfachen' und 'Natürlichen'. In Stifter sieht Lukacs einen Höhepunkt der romantischen Reaktion; der Stil hat sich geändert, aber nicht die Ideologie. Stifter verherrlicht die raktionärsten Tendenzen des Mittelalters; was Hebbel z.B. einsah, daß die Politik der Staufer Deutschland ruinierte, weigert er sich wahrzunehmen. Und während das Mittelalterbild der Romantiker polemisch gegen die Gegenwart gerichtet wurde, ist bei Stifter sogar die polemische Haltung verschwunden. Der Feudalismus im "Witiko" und die Gegenwart im "Nachsommer" sind gleicherweise organische und natürliche soziale Ordnungen: Stifter geht sehr viel weiter mit seiner Konzeption, daß der Mensch 'existentiell' immer derselbe sei, gleichgültig unter welcher Autorität, - sofern sie nicht revolutionär ist. - Lukacs beurteilt also Arnim indirekt ebenso wie die meisten Arnimkritiker seit der Reichsgründung ungefähr, für welche die legitimistische Funktion der "Kronenwächter" außer Frage stand.[1)]

Ob Lukacs Scott und Stifter gerecht wird, soll hier nicht untersucht werden. Seine Überlegungen sind im folgenden nur Ausgangspunkt einer näheren Bestimmung der Technik Arnims und seines Erzählinteresses. - Daß "die Kronenwächter" Resultat patriotischer 'Besinnung' auf deutsche Geschichte und deutsche Einheit sind und so u.a. auch ein Produkt der sozialen Krise zur Napoleonzeit, bedarf keiner weiteren Ausführung. Auch für Arnim war das Mittelalter und insbesondere die Stauferzeit eine Periode nationaler Vollendung. Im Vorwort zum Roman schreibt er beispielsweise: "Ganz Schwaben ist dem Reisenden ein aufgeschlagenes

---

1) Vgl. zur Diskussion über dies Problem: Margarete Elchlepp, Achim von Arnims Geschichtsdichtung "Die Kronenwächter". Ein Beitrag zur Gattungsproblematik des historischen Romans. Diss. Berlin 1966

Geschichtbuch, hier war der früheste Mittelpunkt deutscher Geschichten und so seltsam alles umfassend die Deutschen sich später schaffend und zerstörend geregt haben, diese Vollendung in einem gewissen Sinne erreichten sie nicht wieder, und so reiht sich das Bild des Unterganges unmittelbar an den Glanz der Hohenstaufen" (521). Der Roman zeigt jedoch einige gravierende Unterschiede etwa zum "Sternbald" oder zum "Ofterdingen" und auch zum "Witiko", die ihn eher mit Scott verwandt erscheinen lassen (nach Lukacs' Darstellung). "Die Kronenwächter" sind keine verherrlichende Beschreibung des Mittelalters, sondern sie stellen die Krise seiner Auflösung dar. Der Held wird nicht romantisch-mythisch erhöht, sondern er 'zerbricht' an den Widersprüchen der Zeit, - soziale und persönliche Krise stehen im Spiegelverhältnis zueinander. - Arnims Pragmatismus, seine Verachtung philosophischer Spekulation, "blinden" Theoretisierens und jedes "lar't pour lar" zeigt ihn in einer Gegenposition auch zur Romantik und verhindert die Verinnerlichung künstlerischer Tätigkeit und die Verherrlichung des künstlerischen Genies. Das Historische und Politische ist für ihn nicht Beiwerk, sondern gehört zur Basis der Darstellung.

So bieten "Die Kronenwächter" eine Fülle historischer Gestalten aus allen Klassen, - den Kaiser, Herzog Ulrich, Luther, Ritter, Bürger, Bauern, Gelehrte und Künstler aus verschiedenen Schulen. Wie Untersuchungen der historischen Vorlagen des Romans zeigen[1], ist Arnim fähig, trotz sehr freier Behandlung der Fakten das Charakteristische der überlieferten historischen Situationen treffend wiederzugeben. Schloß Hohenstock ist ein Beispiel "typischer" Situationen, wie Lukacs sie verlangt. Seine Darstellung ist zwar polemisch übertrieben als Ausdruck der zweifelhaften politischen Praxis der Kronenwächter, ist im Wesentlichen jedoch die genaue Dramatisierung eines Briefes Ulrich von Huttens übers ritterliche Landleben (der freilich auch eine kritische Perspektive vermittelt). Glaube, Aberglaube, überhaupt Volksbräuche der Zeit kann Arnim mit wenigen Zügen und kraftvollen Bildern beleben; Gesellenstechen, Tanz bei Fugger, Hochzeit in Waiblingen, Gelage, Schlägereien, Weinfest vor der Stadt, das Waschen der Töpfe und Kessel am Brunnen, die Zubereitung der Hochzeitskuchen, die als Türme über die Straße getragen werden, solche Szenen gibt es viele, die an Intensität und Dramatik nichts zu wünschen übriglassen (Arnims Bilder erinnern häufig an die der Donauschule...). Auch Massen versteht er zu bewegen, ohne sich im Massenhaften zu verlieren. Der Zug zur Fürstenhochzeit in Augsburg wird mit allen seinen Schwierigkeiten und Gefahren - die Enge der Plätze und Straßen, die Gefahr, über Brückengeländer abgedrängt zu werden, die im Geschiebe gehemmte, unfreie Bewegung etc. - aus der Perspektive einiger teilnehmender Figuren gegeben, in deren Bewegungen sozusagen die Bewegungen der Massen zu-

---

1) Vgl. Aimé Wilhelm, Studien zu den Quellen und Motiven von Achim von Arnims "Kronenwächtern". Diss. Zürich 1955

sammenlaufen.

Ob diese Objektivierungstendenzen jedoch grundsätzlich anderen als romantischen Ideen unterliegen, ist zweifelhaft. Programmatisch für Arnims künstlerische und politische Haltung ist der Satz aus der Einleitung zum Roman: "Die Zerstörung kommt von der Tätigkeit, die sich von der Erde ablenkt und sie noch zu verstehen meint" (517). Damit sind die Kategorien der Kritik an Berthold und auch der historischen Kritik des Romans gegeben. - Wer Arnim kennt, kann Sätze dieser Art nicht in aller Unschuld als Ausdruck 'beschreibender' Tendenz und der geforderten Verbindung von Theorie und Praxis auffassen. Der verallgemeinernde Gegensatz von erdverbunden und 'heil' einerseits und erdentfremdet und zerstörerisch andererseits enthält - wie gezeigt wurde - den Mutterkult der "Gräfin Dolores", das ideale 'Ewig-Weibliche' und die im Pflanzenvergleich gefaßte 'natürliche' Lebenstotalität des Mittelalters, ebenso wie sich hinter der Abwehr des Spekulierens, der philosophischen und wissenschaftlichen Theorie sehr häufig eine politisch-beharrende Haltung verbirgt. Sätze wie der zitierte verraten also mit einem Wort feudale Grundpositionen Arnims. Er selbst hat dieses Urteil freilich nicht gern gehört, mit einem Seitenblick auf sein größtenteils bürgerliches Publikum wehrt er den Hinweis W. Grimms auf die "adelige Gesinnung" seines Romans ab: "... nur die Stelle am Schlusse, wo die Gesinnung des Buches adelich genannt wird, wünschte ich verändert, da es den meisten ein Anstoß wäre, mir ist diese sogenannte adliche Gesinnung schon mehrmals vorgeworfen, während ich doch eigentlich mit lebhaftem Anteil der bürgerlichen Tätigkeit mich zuwende" (Steig III, S. 403). So redet ein Diplomat, der sein Buch verkaufen und seine Ideen verbreiten möchte. Die politische Grundidee des Buches ist jedoch wie immer bei Arnim keine andere, als die "versöhnliche" Einordnung des Bürgertums im feudalen Staat, worüber später noch genauer berichtet wird. Das Ideal Mittelalter steht auch hier fest. Das zweite Buch (in dem Berthold den 'Abfall' von eben dem Ideal demonstriert) einleitend reflektiert Arnim über Wohngewohnheiten, Malerei und Kirchenbau der Dürerzeit. Weder die Reformierten in ihrer Kunstfeindlichkeit, noch die Jesuiten mit ihrer Pracht hätten eine sinnvolle Veränderung von Kunst und Glaubenswesen gebracht, heißt es unter anderem: "beides wird vor einer neuen Kunst verschwinden, deren Strahlen uns aus der Dämmerung erwärmen; vielleicht wird ungestört fortgearbeitet werden, wo Cranach, Dürer und Raphael ihre Pinsel niederlegten" (591). Wir wissen, daß Arnim die Restauration früherer künstlerischer Methoden ablehnte: "was gethan, ist vorbei" (Steig III, S. 250). Nichtsdestoweniger sind jedoch 'Geist' und soziale Situation, für welche die mittelalterliche Kunst Ausdruck war, allgemeingültig, weil 'natürlich'; Formen und Gegenstände der Kunst haben sich gewandelt, die ideologische Tradition darf nicht gebrochen werden: "Ehe aber diese Zeit eintreten kann, muß Alltägliches und Sonntägliches, muß Haus und Kirche aus einem Stück gebildet sein.. Das Himmlische war damals noch nicht so weit von der Erde entrückt, sondern wohnte vertraulich unter den Wahrhaften, der Künstler brauchte sich nicht in eine andre Welt hinaufzuschrauben, er sah die Seinen im erhöhten Sinn an. Wer zu Wittenberg in Luthers Wohnzimmer geblickt hat, muß die innige, eigene Entwicklung jener Zeit erkennen, wie Blatt und Blüte, Krone und Wurzel einer Pflanze auf einander deuten, so fühlt sich jene Zeit von ihrem innern Reichtum auch äußerlich durchdrungen, ohne es selbst zu wissen" ... (591-92). - Die Einschränkung, daß dies für die "Wahrhaften", für die künstlerische Mythenbildung gilt, ist also aufgehoben. Das ist kein Zufall, sondern Folge des analogischen Denkens, demnach die naive Frömmigkeit der alten Kunst Ausdruck einer gesellschaftlichen, kindlich-ursprünglichen 'Vorzeit' ist, - Ausdruck naturhaften 'Beginns'. Das propagandistische Interesse der Kirche an der Malerei etwa ist dieser Betrachtungsweise ebensowenig problematisch, wie sie die jener "Zeit" zugeschriebene Naivität als Untertanenmentalität reflektiert. -

Unter diesen Voraussetzungen muß die Frage nach den historischen Kategorien des Romans neu gestellt werden. Die geistesgeschichtliche Position ist eindeutig romantisch. Ist sie mit einer sozialgeschichtlich-aufklärerischen Haltung vereinbar? Eine solche Haltung fordert die politisch-psychologische Konkretisierung der historischen Kritik unter Kategorien wie reaktionär und progressiv und setzt eine progressive Position des Verfassers voraus. Der Gegensatz 'reaktionär-progressiv' ist für Arnim jedoch nicht fundamental, von einer grundsätzlichen Infragestellung feudaler Positionen kann keine Rede sein, sie werden im Gegenteil im Hausmärchen zur Apotheose gebracht. Arnim sucht die Ursachen für den Untergang der alten Welt, den er beschreibt, im Geistigen und Moralischen, wofür der Satz: "Die Zerstörung kommt von der Tätigkeit, die sich von der Erde abwendet" programmatisch ist, und wie es in der epischen Praxis durch "Bertholds erstes und zweites Leben" demonstriert wird. Gewiß meint dieser Satz auch die bürgerliche Tätigkeit, die sich vom Ackerbau als der politisch-ideologischen Basis der Gesellschaft abwendet; seine Kritik liegt jedoch in der moralischen Messung dieser Tätigkeit als Versündigung an der ursprünglich-ewigen menschlichen Bestimmung, als Verlust der Einheit mit dem Mütterlich-Irdischen. Das demonstriert Berthold in seinem "zweiten Leben"; nicht seine Klassenposition als reicher Bürger ist hier irgendwie zweifelhaft (er bringt Waiblingen nur eitel Wohlstand), sondern seine moralische Qualifikation. Eine Gefahr für seine Bürger wird er erst in dem Augenblick, wo er "das Unheil" aus dem Unterreich hervorgräbt, d.h. die "Sympathien" (nach Novalis' Ausdruck) mit den Gestalten der "Vorzeit" verrät.

Demgemäß ist die das gesamte Romangeschehen tragende Dialektik die von "alter und neuer Zeit" als Dialektik von kindlich-rein / erwachsen-sündig, von naturhaft-unbewußt-harmonisch / egozentrisch-exzentrisch (grotesk), von

Zeit des Anfangs und der Heilshoffnung / und Zeit des 'Abfalls' oder Gefährdung und Korrumpierung der Hoffnungen und Impulse alter Zeit. Das Grundthema des Romans sind entsprechend der künstlerischen Idealbildung die "Strahlen" aus der "Dämmerung" des Innenreichs der Vorzeit und das Prinzip seiner Durchführung ist die mit allen entscheidenden Figuren und Situationen stets wiederholte Fragestellung, ob und wie dies 'innere Licht' Gegenwart und Zukunft erleuchte... Dies Prinzip liegt der Teilung von Bertholds Leben in ein erstes als romantisches Kind und Baumeister und ein zweites als bürgerlicher Kaufmann zugrunde, in dem er, statt sich von der Erfahrung seiner 'staufischen' Kindheit erleuchten zu lassen, sich vom Glanz des Goldes blenden läßt. Das Gold Bertholds, das er als glückverheißenden "Schatz" aus der Vorzeit erhält, verwandelt sich so in ein soziales-ökonomisches Symbol als negatives Produkt der vom erdverbunden-Vorzeitigen ableitenden bürgerlichen Tätigkeit, an deren Repräsentanten sich ständig bei Arnim die Strahlen aus der Frühzeit brechen.

Damit ist auch bereits gesagt, daß diese romantische Zeiten-Wertung den Schlüssel zur phantastischen Konzeption des Romans liefert. Phantastisch sind die 'Mächte' des Innenreichs der Vorzeit, mit denen das Kind in seiner Unschuldszeit "sympathetisch" verbunden ist, - wie die Elster, welche den 'Ruf' des "Alten" an Berthold vermittelt, und wie der Alte selbst, der den Knaben in die phantastische Kapelle einführt, ihm dort den Weg in seine Zukunft weist und ihm dann im Traum den Schatz zeigt. Er lenkt Bertholds Entscheidungen (Auktion) als 'besseres Ich' und qualifiziert sich hierzu als Mahner zu Bescheidenheit, Gottvertrauen und durch die Erinnerung, daß alle Schätze dieser Erde nur "geliehenes Gut" seien und nicht mehr als die Voraussetzung werden dürften, auf dieser Erde die Erfahrungen zu sammeln, die den Menschen in jener Welt willkommen sein lassen. In dem Augenblick, wo Berthold den "Alten" um seiner Schätze willen in sich abtötet, ist auch sein 'Fall' besiegelt. Das geschieht im Traum in der Hochzeitsnacht mit der Begründung, Berthold können nun, wo er verheiratet sei, auf diese Schätze nicht mehr verzichten. Der Übergang zum Bürger in der "neuen Zeit" als Verrat der "Vorzeit" fällt also mit dem endgültigen Abschluß der Kindheit in der Erotik zusammen. - Als "Strahlenbild fleckenloser Vollendung aus der Vergangenheit" 'erhebt' sich die gläserne Kronenburg über die Romanrealität. Sie ist das Symbol einer paradiesischen Vorzeit und wird so mit den Attributen ewigen Frühlings, ungewöhnlicher Fruchtbarkeit und der Kunstpracht zauberhafter Schlösser aus "Tausend und einer Nacht" ausgezeichnet. Damit sind jene mythischen Kräfte in der Romanrealität integriert, die im Hausmärchen die Apotheose feudaler Lebenstotalität bedingen. Und mit diesen mythischen Elementen sind auch die moralischen Maßstäbe des Romans gegeben.

Trägt eine Figur die Hoffnungen der Vorzeit noch irgendwie (als Staufernachkomme z.B.), so wird sie mit Zügen des kindlich-Reinen und einfacher Frömmigkeit gekennzeichnet. So Berthold als Kind, so die junge Apollonia mit dem Lamm, ihrem Wappentier gleichsam. So Bertholds Vater, der Ritter und romantische Künstler, dessen "reines Dasein" sich in einer Weberei nach Rungeschen "Morgenröte"-Motiven ausdrückt (573). So Grünewald, der lustige romantische Wanderer und Dichter, der in seinen "eingebildeten" Schicksalen und Liebschaften lebt wie ein Kind und der wie ein Kind über ihr Zerbrechen weint. - In der Regel werden diese Figuren ausgezeichnet durch die Farbe der Hoffnung, entweder in der typisierenden Kleiderfarbe oder (und) in ihrer charakteristischen Umgebung, in welcher der Erlösungsort im Wald des Hausmärchens sich spiegelt. So der Ritter in der Zurückgezogenheit des Waldes und der Kunst, wo er die 'Erlösung' seines Geschicks durch die Versöhnung mit Kaiser Maximilian vorbereitet. So Berhold im 'alten Garten' des Schlosses aus staufischer Vorzeit. Und Grünewald, der heimatlose, wandernde Sänger, hat diese Attribute in seinem Namen...

Die Kriterien der moralischen Gefährdung sind die Bekannten, die aus der Störung des Arnimschen Harmoniegesetzes, des drohenden Verlustes der kindlichen Einheit mit sich selbst, der Natur und Gott folgen. Als Angehörige der "neuen Zeit" sind alle Figuren dieser Drohung irgendwie ausgesetzt. Das Maß ihrer 'Verschuldung' richtet sich nach dem Grad der Zerstörung dieser Harmonie, welche zugleich die Entfernung von den Idealen der Vorzeit bedeutet, und das Überkippen der Balance heißt Verteufelung durch die 'Mächte' der Zerstörung, durch Geld, Gewalt und Wissenschaft, wie Berthold und Faust es vorführen. Entsprechend geht die 'Seelenfarbe' grün in rot über, die Farbe der Tatmenschen, hier zugleich auch Zeichen der Gefährdung durch Lust, Gewalt und Geld.

Die Staufernachkommen betreffend, ist diese Verschuldungs- und Zeitenproblematik auch zugleich ein Generationsproblem. Engel wie Isabella gibt es in diesem Roman nicht (sie tritt erst im zweiten Teil gemeinsam mit einer "liebreichen Schwester" auf...). Das charakterliche Vorbild des Erwachsenen und Tatmenschen, der trotzdem ganz kindliche Unschuld bleibt, ist hier in den lediglich erzählten Mythos verwiesen, ins Hausmärchen. Vom Vorbild des Parzifal-Königsohns, dem reinen Toren, entfernen sich die Staufer 'im Laufe der Zeit' sichtlich. Bertholds Vater, der Künstler in "reinem Dasein", der zugleich tätig die Aussöhnung der Staufer mit der "neuen Zeit" anstrebt, kann als Vorbild Bertholds gelten, obwohl auch er von Schuld im Sinne von Verinnerlichung und der erotischen Bindung seiner Impulse nicht frei ist. Seine unglückliche Geschichte ist aber weniger als die Bertholds Folge von 'Frevel', - sie ist tragisch. - Grünewald, etwas älter als Berthold, korrumpiert den Gedanken der Ausgeglichenheit von vita activa und vita kontemplativa schon sehr viel klarer in seiner leichtsinnigen Geschwätzigkeit und Unstetigkeit, in der kindliche Unbefangenheit in soziale Verantwortungslosigkeit umschlägt. Über Berthold ist bereits das Meiste gesagt, und Anton, der jüngste Staufer, trägt den Harmoniegedanken (der sich z.B. in seinem Bemühen, die Madonna als irdische und himmlische Gestalt zugleich zu malen, als bewußte Absicht ausdrückt) in die ungewisse Zukunft der unfertigen Fortsetzung weiter. So wie sein Roman angelegt ist, muß er nach unendlichen Verbrechen und Erfahrungen das Grün der Unschuld und Vorzeit zurückerobern; vorerst erscheint er daher im typischen Rot.

Das Gleiche gilt für Frau Anna, die im roten Kleid gemalt wird und sich dieser Färbung würdig erweist durch den Griff zum gefährlichen alten Messer und durch Sinnlichkeit, aufgrund der sie am Morgen nach der Hochzeit mit Berthold bereits an Anton gebunden wird, dessen gewaltige Beine in roten Hosen ins Fenster ragen. Sixt aus der flandrischen Schule, der sie in aller Pracht als antike Liebesgöttin malt, und der dazu neigt, was er nicht leiden kann, verzerrend-übertreibend von der häßlichsten Seite darzustellen, erweist sich in diesem Zusammenhang ebenfalls als "Roter". Sein Stellenwert in der romantischen Zeitenproblematik wird dadurch betont, daß er dem Bergmann, von dessen Tätigkeit er als neuzeitlicher Typus natürlich nichts versteht, rote Farbe in den Brunnenschacht auf seine grüne Kappe gießt, - die der Bergmann als Blut auffaßt und als Anlaß, sich schon auf seinen Tod vorzubereiten. - In Faust schließlich laufen alle Fäden der Rot-, Gold-, Messer-, Blutsymbolik zusammen, wie er in roten Pluderhosen, mit goldenen Ehrenketten vollbehängt, die Bluttransfusion durchführt, rot anlaufend und so arbeitend, daß eine Feuerzunge aus dem Schornstein schießt. Seine Patienten trällert er dann mit der Rattenfängerflöte in den Schlaf, und als leibhaftiger "Teufel" löst er als Einflüsterer den warnenden guten "Alten" aus alter Zeit in Bertholds Leben ab. - Faust ist das genaue Gegenteil jenes strahlenden Stauferjünglings: er ist Totschläger und Säufer, der sich als Schwein unter Schweinen im Stall im Kot wälzt. Es ist nicht schwer einzusehen, daß er ein Haßporträt rationalistischen Geistes ist, der hier als wissenschaftlicher Bruder des teuflischen "Alraun schnöder Geldlust" in die Hölle geschickt wird.

Faust repräsentiert bekanntlich jenen von Arnim immer wieder berufenen "Wurmstich aller neuern Kultur", die Trennung des Wissens und der Geschichte vom Glauben. Es ist deshalb kein Zufall, daß er bei Arnim grotesk wird, - nicht Folge der Lust etwa am Ausschmücken im Sinne der grobianistischen Volksbücher, daß Faust hier zum "Saumatz", zum Vieh unter Schweinen wird. Faust ist nur eine unter vielen Wissenschaftlergestalten bei Arnim, in deren Konzeption eine abwehrmechanistische Haltung den Resultaten der bürgerlichen Ratio gegenüber zu Tage tritt. Er ist ein Verwandter des "Wunderdoktors" ("Gräfin Dolores"), des Golem produzierenden Rabbiners in der "Isabella von Ägypten", des zum Affen mit hölzernem Schlüssel erniedrigten Akademievorstehers in Golnos Geschichte, usw. Er ähnelt Vasthi in den einige Jahre nach dem Roman erschienenen "Majoratsherren". Die alte Jüdin verkörpert dort "den Kredit" als das Prinzip, welches im Gegensatz zum "Feudalwesen" die bürgerliche Welt beherrschen wird. Sie ist die einzige, die aus der Gegenüberstellung von funktionslosen Ultrareaktionären und bürgerlichen 'Kräften' den Weg in die Zukunft findet. Sie strotzt wie Faust vor Kraft und Verschlagenheit, entsprechend der Tatsache, daß ihr diese Zukunft gehört, aber sie strotzt als Vieh, als Geier. Wie gesagt, dient diese Enthumanisierungstechnik der Abwehr sozialer und ideologischer Bedrohungen des feudal-reformistischen sozialen Modells Arnims. Wie Vasthi sich moralisch verwandt erweist mit den nur noch als puppenhafte Karikaturen ihrer "Vorzeit" einherstolzierenden Reaktionären der Novelle, so steht Faust als Typus bürgerlicher Hybris in Verbindung mit den Kronenwächtern, - auch konkret in der Handlung: er arbeitet für sie, hilft z.B. beim Raub von Bertholds Kind am Ende mit.

Frühere Interpreten sahen in den Kronenwächtern häufig Arnimsche Vorbilder, Geibel identifiziert Arnim noch selbstverständlich mit ihnen: "So gingest du, der treue Kronenwächter, Altdeutscher Gottesfurcht und edler Sitte..."[1]. Die Idealisierung des Mittelalters gerät so jedoch in ein falsches Licht; nicht die 'Liebe' der Kronenwächter zur "Vorzeit" wird in Frage gestellt, wohl aber ihre politische Praxis gemäß der Verfall- oder Sündenfallidee des Romans. So treten die Kronenwächter konkret (hinter den Kulissen steuern sie ja Bertholds Erziehung) in Bertholds Gesichtskreis: "... sah einen alten Mann in rostiger Rüstung... Er sieht aus, als ob eines von unsern alten Steinbildern am Hause zu uns herabgestiegen wäre ... alle von bleichem steinernen Angesicht ... antwortete der Alte mit tiefer heiserer Stimme, als ob die böse Witterung eines Jahrhunderts darin sich verkrochen hätte..." (683-84). Sie tragen also Züge der Überalterung, der Erstarrung (wie der "eiserne Ritter an der Rathausuhr", der Vetter in den "Majoratsherren", einer der Seelenverwandten Vasthis...). Und sie disqualifizieren sich moralisch in diesem Sinne, indem sie Bertholds Rücksichten auf den "hinunterrollenden Wagen" der Geschichte[2] ("daß ein hochberühmtes Geschlecht nach Gottes Weisheit von der Höhe schwindet..., wenn seine Fortdauer Greuel brütet" - 658) in den Wind schlagen mit dem Hinweis auf's Ideal ("Als Euer heiliges Geschlecht herrschte, gab es ein reines, keusches Rittergeschlecht", - 686), dessen bloße Existenz in ihren Augen jede noch so blutrünstige Tätigkeit rechtfertigt ("alte Mörder" nennt Martin sie daher). Der Ehrenhalt muntert Berthold zur Tat auf mit den Worten: "der alte Hohenstaufe regt sich in Euch, im Krieg macht der Mensch sein Schwert zum Maßstab der Welt und mißt alles nach seiner Elle von vorne durch, so kommt alles in die Lage, wie es ihm gefällt" (743). Er empfiehlt so die Ideologie der Kronenwächter nicht gerade im Sinne seines Autors, der den Roman einleitet mit warnenden Worten an seine Zeit, welche "ihr Zeitliches überheiligen möchte mit vollendeter, ewiger Bestimmung, mit

1) Geibel, Werke, hsg. von W. Stammler (1918), Bd. I, S. 91
2) Arnim gegen Haller in: Unbekannte Aufsätze... a.a.O. S. 43

heiligen Kriegen, ewigen Frieden und Weltuntergang" (519). Mit gleichlautenden Worten tritt Arnim Haller entgegen, dessen Verteidigung feudalen Grundbesitzes (der für Arnim der "Körper" des Staats ist, dessen "Geist" die Familie...) er ohne Mühe akzeptiert, den er aber kritisiert, weil seine Ideen "für die Praxis" teils fruchtlos seien. Haller stört in seiner restaurativen Radikalität die 'Versöhnungsideologie' Arnims, - stemmt sich so gegen den "hinunterrollenden Wagen" der Geschichte. Seine Position entspricht in den Grundzügen der der Kronenwächter, die so also als eine bedrohliche Kraft aus alter Zeit mit den Zerstörungskräften der neuen praktieren. - Eine solche fragwürdige Kraft ist natürlich auch Herzog Ulrich, der als Feudaler ganz in grünem Samt erscheint, aber als Geistesverwandter Fausts sich auszeichnet durch seine rote Nase und den roten Baldachin, unter dem er beim Weinfest Ströme roten Weines einnimmt. Auch Ulrich ist ein Mörder, Verführer und Fresser, - ob nun aus historischen Gründen oder aus dichterischen; nach der Zeitensymbolik gehört er in den Kreis Fausts.

Betrachtet man nun diese Figuren in ihrem Milieu, so wird klar, daß Arnim historische Totalität im Sinne einer sozialgeschichtlichen und aufklärerischen Haltung nicht anstrebt. Er weist diesen Gedanken weit von sich: "Das Bemühen, diese Zeit in aller Wahrheit der Geschichte aus Quellen kennen zu lernen, entwickelte diese Dichtung, die sich keineswegs für eine geschichtliche Wahrheit gibt, sondern für eine geahndete Füllung der Lücken in der Geschichte, für ein Bild im Rahmen der Geschichte" (520). - Was hier im Hinblick auf's Milieu geahndet werden soll, entspricht jenen dämmernden Einsichten zu Anfang der "Gräfin Dolores" angesichts des - bei genauem Hinsehn - soliden, dauerhaften mittelalterlichen Schlosses im Gegensatz zu dem Renaissancepalast, der zuerst in seiner Pracht blendet, dann aber sich als bröckelig erweist, - so zum Symbol einer frevelhaften-leichtsinnigen neuen Zeit wird und mit der moralischen Wiedergeburt der alten zum Zeichen der Reinigung in Flammen aufgehen muß.

Die wichtigsten Milieusituationen gehören in den Bereich romantischer Zeitensymbolik, - die Trümmerburg, in der die "Vorzeit" entdeckt wird, - der alte Garten, die Kapelle der heiligen drei Könige, - die Situation des einsamen Künstlers (des Ritters) im Gebirge und die Hütte im Wald und schließlich die paradiesische Kronenburg. - Hier geht es nicht um historische Dokumentation, sondern um Repräsentanz des Mythischen entsprechend den hier angesiedelten Mythenträgern. Und unter der Dialektik: alte Zeit = Vorbild / neue Zeit = Verfall werden den Orten mythischer Verheißung (analog der 'Wegentwicklung' von der Kindheitssituation im Laufe der Handlung) Realsituationen als Ausdruck der Korrumpierung des Ideals entgegengesetzt. So ist Bertholds wächserner Rosengarten im Rittersaal mit Ritterpuppenspiel nur eine groteske, 'verkünstelte' Antwort auf die 'Herausforderung' durch das Erlebnis in der Kapelle der heiligen drei Könige... Die praktische Antwort der Kronenwächter auf das Ideal Kronenburg zeigt sich in Hohenstock. Der strahlenden Reinheit und Klarheit entspricht Schmutz und Gestank; der kristallenen Durchsichtigkeit und edlen Ordnung der Kronenburg entsprechen in Hohenstock Unordnung, Verwirrtheit und Heimlichkeit, ausgedrückt in einem Wirrwarr von ungleichmäßigen Geschossen und Maulwurfsgängen. Dem ewigen Frieden und der Fruchtbarkeit der Kronenburg entsprechen hier ewiges Gezänk und Armut. Die Hybris der Kronenwächter, die hier den Ausgangspunkt ihrer Tätigkeit sehen, verdeutlich der Ehrenhalt, indem er eben dies Schloß als uneinnehmbar sicher und als Paradiesgarten wie die Kronenburg deutet, weil hier alles Wünschbare in Fülle wachse. Die Burg liegt in einem Sumpf auf einem Felsen (als häßliches "Gebiß" bezeichnet sie Grünewald); sie ist nur über einen Damm zu erreichen,- also auch leicht zu belagern und auszuhungern, wozu es nur eines Hagelwetters bedarf, das - wie Berthold es erlebt - die Ernte mit einem Schlag vernichten kann. - Ein anderer aufschlußreicher Gegenort zu den mythischen ist Stutzers Augsburger Landhaus, ein Renaissancebau, der einer der in der "Gräfin Dolores" analogen Kritik verfällt, indem die dicken gedrehten Säulen und pausbäckigen Götter als angeberischer und verlogener Überbau über eine armselige Realität gedeutet werden, eben über den mickerigen, aber reichen 'Pfeffersack' Stutzer, nach dem dann alle späteren Stutzer den Namen gekriegt hätten. Für diese Kritik steht Berthold, mit Worten, wie Arnim sie zur Verherrlichung der mittelalterlichen Baukunst benutzt. Berthold ist zwar bereits auf dem Wege, das "Unheil" auszugraben, aber als Baumeister des Barbarossapalastes steht ihm diese Kritikerfunktion zu.

Das Ziel sowohl der Figuren- wie Milieudarstellung ist also nicht primär historische Dokumentation und Kritik, sondern mythologische Wertung. Die Technik ist romantisch-symbolistisch; an geschlossenen Milieubeschreibungen, städtischen Übersichten etc. ist Arnim so wenig interessiert, wie er ein "Landschafter" ist. Er bevorzugt hervorstechende, schlaglichtartig beleuchtete Lokalitäten, - den mythisch-phantastischen werden die grotesken einer 'gefallenen' Realität entgegengesetzt. Obwohl Arnim die romantischen Lokale künstlerischer Selbstverwirklichung nicht in nebelhafte Fernen verlegt, sondern mitten in die Zivilisation, ist seine Methode etwa der des "Ofterdingen" verwandt. Die Höhlen, Gänge, Gärten, Kirchen bei Novalis bedeuten stets auch eine 'andere' Zeit und ein 'höheres' Wissen, welches es zu entdecken gilt. Das heißt nicht, daß die Figuren, auf's Milieu gesehen, sozial in der Luft hingen. Heinrich erwacht in seinem Schlafzimmer, bereist Gebirge, die auf der Landkarte verzeichnet sind, und in Augsburg tanzt man in dem Saal eines reichen Bürgers. Ebenso wird bei Arnim im Rathaussaal gefeiert, am Brunnen werden Töpfe gewaschen, Apollonia trifft Berthold in einem kleinen Haus in Augsburg an der Mauer, und bei Fugger im großen Festsaal wird getanzt. - Von diesem allgemeinen Milieu, das keinesfalls mit realistischer Ausführlichkeit beschrieben wird, "erhebt" sich dann aber die Handlung zum "Seltsamen" und mit ihr die Gestaltung der historischen Umstände.

Der einleitende Turm, Bertholds Heimat während seiner Kindheit ("die Bühne, welche den Anfang unserer Geschichten aus den engeren Verhältnissen eines kleinen Städtleins zum Seltsamen erhebt", 522) ist das erste und ein gutes Beispiel hierfür. Vom Bericht über Schwaben und seine Landkarte geht die Beschreibung zum Turm überm Tor mit seinen vier Türmchen und dem Umgang über, von da ins Innere (nach der Einführung in den Roman durch Bürgermeister und Vogt, welche die Turmlichter als Leuchte heimwärts benutzen), - wo im ersten Bild schon Tod und Teufel symbolisch auf dem Schachbrett sitzen. Freilich nach Martins Definition, doch Martin repräsentiert durch die Verbindung zu den Kronenwächtern bereits das "Seltsame", und mit der Sonnenfinsternis schaut er voraus in ein finsteres Geschick, das hier oben mit der Ankunft des verheißungsvollen Stauferkindes angelegt wird. Von Anfang an ist die Atmosphäre hier geschwängert mit dem Unheimlichen und Geheimnisvollen; ein merkwürdiger Ritter sagt drohende und tiefsinnige Sätze, ein Kind auf einem Totenschädel wird abgeliefert, - eine Ziege säugt dies Kind, so als habe es magische Kräfte und wie zur Bestätigung dessen hüpft dann die Elster unter dem Bett hervor, rufend: "Berthold, Berthold", als habe eine höhere Macht ihr dies Wissen vermittelt. - So wandelt sich der Turm (gewissermaßen mit dem Schwenken der Kamera) zum Symbol der Entfremdung, - zum Symbol der "Tätigkeit, die sich von der Erde abwendet", welche Bertholds Entwicklung demonstriert als Ausdruck einer zerstörerischen historischen Entwicklung.

Das Geschehen zentriert sich ums Mythische und demgemäß läuft die Milieubeschreibung sozusagen aufs Symbolische zu, das die Aufmerksamkeit an sich zieht und fesselt. Man vergleiche nur die Kapitelüberschriften: Die Hochzeit auf dem Turme, Die Chronik..., Der Palast..., Schatz und Messer, Der Bau, Die hohe Fremde und ihr Ritter, Der Sturm. Die wunderbare Heilung, Die Reise..., Der Becher, Die Ringe, Die Rose, Der Mahlschatz, Der Brunnen, Das Hausmärchen. Die Hochzeit, Das Bild am Giebel, Gute Hoffnung, Schloß Hohenstock, Traubenlese, Das Todaustreiben, Die Gräber der Hohenstaufen, Die Taufe, Der Kampf am Brunnen. - In den meisten Fällen handelt es sich um Symbole mythischer Bindung oder des Kontrastes zum Mythischen. Daß in Bertholds "Zweitem Leben" Hinweise aufs Reale häufig sind, widerspricht dem nicht: das Leben des Erwachsenen wird gedeutet im Verhältnis zur 'mythischen' Kindheit.

Mit den relativ realistischen Milieuansichten verhält es sich also ebenso wie mit den rationalen, tiefenpsychologischen Einsichten in Bertholds Entwicklung: sie bilden die Basis eines romantisch-mythologischen oder phantastischen Überbaus. Das erklärt ihren beiläufigen Charakter wie die symbolistisch-eklektische Behandlung von Milieu und Landschaft überhaupt. Die historischen Zusammenhänge, die der Roman vermittelt, und damit sein Bezugspunkt zur Gegenwart, liegen weder in sozialgeschichtlicher Dokumentation noch Kritik, sondern in der Demonstration einer im Verhältnis zur romantisch-heilen "Vorzeit" 'verdorbenen' Welt.

5. MYTHOS UND POLITIK

Die Auffassung der älteren Kritik, das Phantastische und das Groteske bei Arnim sei Resultat ausschweifender Phantasie und seinem 'eigentlichen' Erzählinteresse fremd, beruhte offensichtlich auf mangelnder Reflexion des realitätsbewältigenden Charakters dieser Mittel. Arnim trifft diese Tatsache sehr gut mit seiner Verteidigung gegen Grimm: "sie setzen die Unendlichkeit von Möglichkeiten und sich in der Mitte, und das sie etwas ebensogut wählen können als das andere. So aber ist noch nie etwas in der Welt getan oder gedichtet worden..." (St. III, 244). Für Arnim waren das Romantisch-Phantastische wie das Groteske unentbehrliche Mittel im poetischen Kampf um eine bessere Welt. Das Phantastische ermöglichte die Objektivierung des Mythos einer 'heilen' Welt, deren Vorbildlichkeit als natürlich-gottgefälliger, harmonischer sozialer Zustand seiner politisch-ideologischen Position eine absolute Legitimation gab. Und die Groteske ist das Mittel, die Triebkräfte der Zerstörung dieser ursprünglichen Harmonie und der Bedrohung der an ihr orientierten Arnimschen Position, nämlich ultrafeudale Reaktion, das Kapital und die Vertreter wissenschaftlicher Ratio mit den Farben der Hölle zu malen.

Politisch und moralisch ungetrübt steht im Roman lediglich der Erbe des feudal-religiösen Staatsgedankens der Staufer im Hausmärchen. Der moralisch-soziale Zustand, den er repräsentiert, ist natürlich, insofern er das Einverständnis mit Gott und Natur demonstriert, das sich der Bewußtseinsharmonie des Kindes analogisieren läßt.

Dies Ideal steht unverrückbar fest. Es erklärt die Konzeption des Romans als Geschichte des Abfalls von verheißungsvollen kindlichen Impulsen, und es erklärt die physiologischen Kategorien der Arnimschen Geschichtskritik. Dem kindlichen Unschuldszustand entspricht die Pflanze als Bild jener Kunst und jener "Zeit". Vom Zustand ursprünglicher kindlicher, natürlicher Harmonie und Unschuld aus gesehen, kann soziale Entwicklung nur die 'Wegentwicklung' vom Guten zum Bösen, - kann der Weg des romantischen Kindes Berthold nur der von Unschuld zur Schuld des Golddurstes und der Erotik sein. So gesehen werden soziale Krisen "Krankheiten", wie es in der "Gräfin Dolores" hieß, ihre Überwindung wird "Buße" (der die "Strafe" beigefügt wird, da ein allmächtiger Vater die Geschicke lenkt), und der Lauf der Geschichte ist ein physisches Altern, welches das "Drükken und Fühlen" an den "Früchten" sozialer Institutionen verbietet. Daher kann die Geschichte in ein "Greisenalter" kommen und muß "verjüngt" werden durch

Revolutionen, welche natürlich nicht der menschlichen Vernunft und dem menschlichen Willen zur Selbstgestaltung der sozialen Verhältnisse unterliegen. Deshalb gilt für alles noch so redliche Bemühen auf dieser Erde: non consiliis hominum pax reparatur in orbe.

Man darf sich über die fundamentalen reaktionären Züge in Arnims Weltbild nicht hinwegtäuschen lassen durch seine Begeisterung für die bürgerliche Stadt. Das Interesse an der Städtebefreiung während der Steinschen Reformen war bekanntlich keineswegs ein Angriff gegen feudale Prinzipien, sondern galt der Stabilisierung des Landes vermittels Ko-operation der Stände. Zu diesem politisch-pragmatischen kommt natürlich noch ein wichtiges kulturelles Motiv: kein Romantiker, wie Hauser schreibt[1], konnte sich der Suggestion der Aufklärung entziehen. Indem der bürgerlichen Kultur des Mittelalters v o r dem Zerfall des Reiches gehuldigt wird, wird das Interesse an ihr mit den feudalen Interessen wieder in Einklang gebracht. Nach Arnims idealisierendem Mittelalterbild kommen die 'zerstörerischen', bürgerlichen Kräfte, Kapital und Wissenschaft, in ihrer bedrohlichen Gestalt für seine Zukunft ja erst im Spätmittelalter mit dem "Untergang" des Reiches los.

"Die Kronenwächter" geben auch hierüber Bescheid. Die Waiblinger Bürger sehen in der Reichsfreiheit, die sie unter Barbarossa genossen, schon keinen Sinn mehr, und sie lassen sich lieber recht und schlecht vom Trunkenbold Herzog Ulrich regieren als daß sie für ihre Rechte kämpfen. Es ist nicht mehr so, wie es früher einmal war, muß Berthold erkennen. - In Augsburg rühmt Schlachtermeister Kugler die bürgerliche Selbstverwaltung und das Prinzip Öffentlichkeit. Da hingen "die Gewerbszeichen, wie Siegesfahnen" heraus, und die Wirte stünden so "fest in den Türen, sie wissen, daß sie mit zu regieren haben". Das darf sehr wohl auch im weiteren, reichspolitischen Sinne aufgefaßt werden: "nichts geht über Augsburger Geld, das gilt in der Neuen Welt". Doch mit dem Stichwort Geld stellt sich auch schon das Ende der Pracht ein: "Übrigens wird es mit dem Gelde bald aus sein ... die reichen Geschlechter kaufen sich außerhalb Güter, wie kleine Königreiche, die Alten bleiben nun wohl unter uns, aber die Jungen sind schon mehr in Cadis, Lissabon und Antwerpen, als bei uns zu Hause, und hätten unsre Zünfte nicht seit dem Aufruhr im Jahre 1368 die Hälfte der Ratsstellen zu besetzen, so würden wir vielleicht künftig von den Landgütern der reichen Geschlechter, wie Ihr von Stuttgart aus befehligt" (644, 45). Die reichen Geschlechter drohen also im Verhältnis zur Stadt die gleiche Funktion einzunehmen wie die Fürsten im Verhältnis zum Reich: die alte Einheit und Freiheit verschwinden. Die Städte werden so in den 'Sündenfall' der Vorzeit nicht nur mit hineingezogen, es bleibt auch kein Zweifel daran, daß er durch das bürgerliche Geld be-

1) Arnold Hauser, Sozialgeschichte der Kunst und Literatur, Ungekürzte Sonderausgabe in einem Band, München 1967. Vgl. z.B. S. 697 ff

dingt ist. Maximilians hilflose Versuche, das Reich zu einigen, bringen das am besten zum Ausdruck. Er ist auch hier der 'letzte Ritter', identifiziert sich mit dem 'reinen Toren' Parzifal, zeigt sich dabei aber schon durch das Geld korrumpiert: "Das Geld ... ist das Blut des Staats und wie der edle Held Parzifal so tiefsinnig wurde beim Anblicke dreier Blutstropen im Schnee, so wird mir oft beim Anblick eines Kreuzers recht nachdenklich, wieviel Kunst, Taten, Glück und Weisheit durch solch ein Stücklein gefördert und gelähmt werden können! Wohin hätten wir unsre Fähnlein geführt, wenn es nicht an Gelde gefehlt hätte! Darum lasse ich auch nicht den Luther verderben, der das deutsche Geld von Rom abschneiden will" (657). Der Kaiser, so sein Schreiber Treitssauerwein, setzt auf die neue Zeit. Er hat die "geheime Absicht ..., den Bürgerstand empor zu bringen", um sich von dem Adel auf dem Lande, der um "ein paar Jahrhunderte" zurückstehe, unabhängig zu machen: "es geht jetzt ins Große, der Adel denkt nur ans Kleine, verachtet den Handel, statt ihn zu nutzen, verachtet das neue Kriegswesen und kann doch mit seiner Art nur bei kleinen Zügen etwas wirken; es möchte noch jeder als Mensch bestehen, während die Geschichte alles zu Nationen zusammenfegt" (634-35).

Hier scheinen Gedanken Arnims aus der preußischen Reformzeit durch, doch kann von einer Identifikation mit der 'kapitalistischen' Progression keine Rede sein. In seinem Vertrauen aufs Geld schüttet der Kaiser sozusagen das Kind der Reichseinheit mit dem bürgerlichen Bade aus; ihm werden phantastische Pläne zugeschrieben, er will aus seinen Landsknechten einen geistlichen Ritterorden machen, um der Lehnsfolge entbehren zu können, möchte sich selbst zum Papst krönen, und er scheint in jeder Hinsicht bereit, über Leichen zu gehen: "die Fortschritte der höchsten Gewalt im Auslande werden auch auf Deutschland einwirken und die stolzen Fürsten, Kirchen- und Stadthäupter, die wir jetzt dem Adel entgegensetzen, werden wie ausgepreßte Zitronen in ihre Winkel geworfen, wenn sie unsre Rache gekühlt haben gegen diese übermütige Mittelgewalt"... (635). Maximilian wird hier eher dargestellt wie Napoleon aus preußischer Sicht, als ein Fremder, der bei aller Progressivität das Volk und seine Geschichte vergewaltigt. Berthold, der die Welt auch nur vom Schreibtisch aus kennt, tritt demgegenüber als die reine historische Vernunft auf, indem er kritisiert, der Kaiser habe seine Pläne immer "zu weit" gemacht, treibe sich zu viel im Ausland umher, kenne sein Volk nicht, der Kaiser sehe nur dessen Fehler: "durch seinen Landfrieden hat er alle ritterlichen, bisher geehrten Verhältnisse für Straßenraub erklärt, Volkssitte läßt sich nicht wie ein Wams umschneidern" (635). Und der Versuch, sich mit den Landsknechten ein unabhängiges Heer zu bilden sei irrational, da "er einen Haufen ohne anders Vaterland, als das, wo es Geld gilt, sich bildet, und daß dieses Heer jedem dienen wird, auch dem Welschen, wenn er sie bezahlt" (635).

Sowenig wie dann Karl V. in der "Isabella von Ägypten" kann also Maximilian dem "Alraun schnöder Geldlust" sich entziehen, nur ist er zu sehr Ritter, um sich ihm ganz zu unterwerfen. Er resigniert (wozu die Kronenwächter, die als heimliche Gegengewalt seine Pläne überall hemmen, viel beitragen) und fügt zu seinem Reisegepäck seinen Sarg, wie Berthold aus einem Brief erfährt (den er liest, während oder kurz bevor sein Bergmann im Brunnen umkommt; man sehe die symbolische Verbindung des 'Verrates' und der Verzweiflung an den "Kräften alter Zeit").

Die Diskussion der allgemeinen politischen Lage endet in Resignation wie Bertholds Leben. Er stirbt auf den Gräbern seiner Ahnen mit dem Spruch eines Grabsteines auf den Lippen: "Daß ein Geschlecht vergehe und das andre komme, und die Erde indessen unbeweglich bleibe und ein jegliches Ding seine Zeit und alles unter dem Himmel seine Stunde habe, dessen gedenket man nicht..." (779). Dieser Hinweis auf die Vergänglichkeit alles Irdischen und eine ewige Ordnung der Dinge ist der einzige Trost, der dem Leser bleibt. Ob Anton in der Fortsetzung diese Ordnung in ihrer politischen Konkretisierung, wie sie der Roman mit dem Mythos einer mittelalterlichen Lebenstotalität und Harmonie aller Stände aufrichtet, wieder hätte herstellen sollen, ist nicht eindeutig zu beantworten. Vieles spricht jedoch dafür. Der Stoff ist phantastisch. Anton wird von magischen Requisiten, Dämonen und Teufeln geplagt. Faust geht mit dem "Alraun schnöder Geldlust" eine Symbiose ein. Alles läuft auf die aus der "Gräfin Dolores" und den Novellen von 1812 bekannten Reinigungsrituale, das Bußsystem hinaus, in dem die Zeit nach mythischen Maßen wieder in Ordnung gebracht wird. Isabella tritt auf; Anton wird eine andere "liebreiche Schwester" beigesellt, deren Einflüssen er sich allmählich unterwirft, - er erblindet, bereut und wird wieder sehend. Es geht um die Befreiung von dämonischen Mächten einer sündigen Zeit und Zeitlichkeit, nicht um die sozialgeschichtlich zu fundierende Kritik von Reaktion und Kapitalismus, zu deren Annahme die 'Überwindung' der Kronenwächter durch Anton und die Verteufelung des Geldes verleiten könnte. Die höchsten sozialgeschichtlich-kritischen Kategorien Arnims sind mythische Überhöhung und moralische Disqualifizierung, deren strengste Form die groteske Verteufelung ist. Dieser Groteske verfallen die historisch gesehen progressivsten Tendenzen der Zeit, bürgerliche Wissenschaft und Kapitalismus, und die Revolution wird abgewehrt als 'unnatürlich'. Entsprechend erkennt Arnim während der Julirevolution nur Trunkenbolde als 'Revolutionäre' in Berlin an... Nach einer Weissagung sollte die Krone der Hohenstaufen solange auf der Kronenburg bewahrt werden, "bis ein von Gott Begnadeter alle Deutschen zu einem großen friedlichen gemeinsamen Leben vereinigen wird" (845). Die Anlage des Romans macht es wahrscheinlich, daß hierin seine soziale Utopie liegen sollte: im mythisch-feudalen Ausgangspunkt.

LITERATURVERZEICHNIS

Zur Arnim-Literatur bis 1925 vgl. die Arnim-Bibliographie von Otto Mallon (1925, Neudruck 1965). - Ergänzt und fortgesetzt bis 1957 wird Mallons Bibliographie von Karl Goedeke, Grundriss zur Geschichte der deutschen Dichtung aus den Quellen. 2., ganz neu bearbeit. Aufl., XIV, hsg. von Herbert Jacob (1959), S. 119-134 u. 985 f. - Eine gute Literaturübersicht gibt W. Migge, in: A. v. A., Sämtliche Romane und Erzählungen, 3 Bde. München 1962-65. - Auf den neuesten Stand gebracht wird die Bibliographie durch den Forschungsbericht von Volker Hoffmann, Die Arnim-Forschung 1945-1972, DVjS, Jg. 47, 1973, Sonderdruck

Achim von Arnim, Sämtliche Romane und Erzählungen. 3 Bde., hsg. von Walther Migge, München 1962-65 (hierauf beziehen sich die im Text in Klammern angegebenen Seitenzahlen)

Achim von Arnim und die ihm nahe standen, hsg. von Reinhold Steig und Hermann Grimm. 3 Bde. Stuttgart 1894-1904 (zitiert im Text als Steig I, II, III)

Achim und Bettina in ihren Briefen, hsg. von Werner Vordtriede, Frankfurt 1961

Fragment einer unbekannten Erzählung Achim von Arnims. Hsg. von Walther Migge. In: Jahrbuch des Freien deutschen Hochst. (65, 66)

Achim von Arnim. Vorrede zu Chr. Marlow's "Dr. Faustus". Hsg. von Berta Badt, München 1911

Ludwig Achim von Arnim. Unbekannte Aufsätze und Gedichte. Mit einem Anhang von Clemens Brentano. Hsg. von Ludwig Geiger, Berlin 1892

Aus der preußischen Unglückszeit. Patriotische Versuche und Vorschläge von Achim von Arnim. Mitgeteilt von Reinhold Steig. In: Deutsche Revue, 38. Jg., 3. Bd. Juli - Sept. 1913, S. 61 ff

Achim von Arnim, Rezension einer Schrift von Haller: "Über die Konstitution der spanischen Cortes". 1820. Hsg. von H.R. Liedke. In: Jahrbuch des Freien deutschen Hochst. 1963. Auch in: Die andere Romantik. Eine Dokumentation. Hrsg. von Helmut Schanze, Frankfurt 1967. Danach zitiert (zweite Fassung Arnims), S. 163-71

Was soll geschehen im Glücke. Ein unveröffentlichter Aufsatz von Achim von Arnim. Hsg. von Jörn Göres. In: Jahrbuch der deutschen Schiller-Gesellschaft 5 (61), 196 / 221

Zeitung für Einsiedler. In Gemeinschaft mit Clemens Brentano, hsg. von Ludwig Achim von Arnim bei Mohr und Zimmer, Heidelberg 1808. Mit einem Nachwort zur Neuauflage von Hans Jessen. Darmstadt 1962

Richard Alewyn, Eine Landschaft Eichendorffs. In: Euphorion, Zeitschrift für Literatur-Geschichte, NF 51, 1957, S. 42-60

Wolfang Baumgart, Der Wald in der deutschen Dichtung, Leipzig - Berlin 1936

Herma Becker, Achim von Arnim in den wissenschaftlichen und politischen Strömungen seiner Zeit. Berlin 1912

A. Best, Arnims Kronenwächter, Berlin 1931-32. In: Jahrbuch der Kleist-Gesellschaft. Hsg. von Oskar Walzel

Jürgen Brummack, Zu Achim von Arnims Melusinenfragment. In: GRM XVII, 2, S. 208 / 10

Claude David, Achim von Arnim: "Isabella von Ägypten". Essai sur le sens de la littérature fantastique. In: Festschrift für Richard Alewyn, hsg. von H. Singer und B. v. Wiese, Köln, Graz 1967, S. 328-345

Karl Debus, Achim von Arnims Beitrag zur novellistischen Kunst der Romantik. Diss. München 1924

Joseph Freiherr von Eichendorff. Historische und literarische Schriften, Vaduz 1948 (über Arnim S. 299-312)

Margarete Elchlepp, Achim von Arnims Geschichtsdichtung "Die Kronenwächter". Ein Beitrag zur Gattungsproblematik des historischen Romans. Diss. Berlin 1966

Wilhelm Emrich, Begriff und Symbolik der 'Urgeschichte' in der romantischen Dichtung. In: Protest und Verheißung. Studien zur klassischen und modernen Dichtung, Frankfurt - Bonn 1960

Peter Esser, Über die Sprache in Achim von Arnims Roman "Die Kronenwächter". Diss. Köln 1937

Helmut Fuhrmann, Achim von Arnims Gräfin Dolores. Versuch einer Interpretation. Diss. Köln 1956

S. Freud, Studienausgabe, hsg. von A. Mitscherlich u.a., Frankfurt. 3. Aufl. 1970, Bd. X: Bildende Kunst und Literatur

Bodo Gatz, Weltalter, goldene Zeit und sinnverwandte Vorstellungen. Diss. Tübingen 1967

Janis Little Gellinek, Der blonde Eckbert: A Tieckian Fall from Paradise. In: Lebendige Form. Festschrift für Heinrich E.K. Henel, München 1970, S. 147-166

Jörn Göres, Das Verhältnis von Historie und Poesie in der Erzählkunst Achim von Arnims. Diss. Heidelberg 1956

Wilhelm Grimm, Kleinere Schriften, hrsg. von Gustav Hinrichs. Berlin 1881. Bd. I: Über die "Kronenwächter". Ebd.: "Armut, Reichtum, Schuld und Buße der Gräfin Dolores, von L.A. von Arnim", S. 289-310

Aus den Schriften von Jacob Grimm, hsg. von Josef Habbel, Regensburg 1948

Curt Grützmacher, Novalis und Phillip Otto Runge. Drei Zentralmotive und ihre Bedeutungsspähre. Die Blume - Das Kind - Das Licht. München 1964

Friedrich Gundolf, Romantiker, Berlin 1931

Lars Gustafsson, Über das Phantastische in der Literatur. Kursbuch 15, 1968, S. 104-116

Heinz Härtl, Arnim und Goethe: Zum Goethe-Verhältnis der Romantik im ersten Jahrzehnt des 19. Jahrhunderts, Anhang: Ein fragmentarischer Erzählzyklus Arnims (Text). 2 Teile, Diss. (masch.) Halle 1971

Käte Hamburger, Ein phantastischer Dichter und tüchtiger Gutsherr. Nach über 100 Jahren liegt das ganze Erzählwerk Achim von Arnims vor. In: Die Zeit, J. 21, 1966, Nr. 13, Beilage

Wilhelm Hans, Quellen und historische Grundlagen von Arnims "Kronenwächtern". In: Euphorien. Zeitschrift für Literatur-Geschichte. X. 1903

Adolf von Hatzfeld, Aufsätze, Hannover 1923

Adolf von Hatzfeld, Achim von Arnims "Kronenwächter" und der romantische Roman. Diss. Freiburg 1920

Arnold Hauser, Sozialgeschichte der Kunst und Literatur. Ungekürzte Sonderausgabe in einem Band, München 1967

Rudolf Haym, Die romantische Schule. Berlin [4]1920

Bruce Haywood, Novalis: The Veil of Imaginary. A Study of the Poetic Works of Friedrich von Hardenberg (1772-1801), 's Gravenhage 1959

Eckard Heftrich. Novalis. Vom Logos der Poesie, Frankfurt 1969

Arnold Heidsieck, Das Groteske und das Absurde im modernen Drama. Stuttgart u.a., Kohlhammer, 2. unveränd. Aufl. 1971

H.-J. Heiner, Das "goldene Zeitalter" in der deutschen Romantik. Zur sozialpsychologischen Funktion eines Topos. ZdPh 91, 1972

Heinrich Heine, Die romantische Schule, Hamburg 1836

K.J. Heinisch, Deutsche Romantik. Interpretationen, Paderborn 1966

Heinz Günther Hemstedt, Symbolik der Geschichte bei Ludwig Achim von Arnim. Diss. Göttingen 1956

Heinrich Henel, Arnims "Majoratsherren". In: Weltbewohner und Weimaraner. Ernst Beutler zugedacht. Hsg. von B. Reifenberg und E. Steiger, Zürich und Stuttgart 1960. Auch in: Interpretationen 4, Fischer-Bücherei Nr. 721 1966

Arthur Henkel, Nachwort zu "Des Knaben Wunderhorn". DTV-Ausgabe 1963-64, Bd. III

Georg Herwegh, Literatur und Politik. Hrsg. von Katharina Mommsen, Frankfurt 1969 (Über Arnim S. 80-83)

Hermann Hettner, Die romantische Schule in ihrem Zusammenhang mit Goethe und Schiller, Braunschweig 1850

Roland Hoermann, Symbolism and Mediation in Arnim's View of Romantic Phantasy. In: Monatshefte 54, 1962, S. 202 / 15

Hugo von Hofmannsthal, Aufzeichnungen. Ges. Werke in Einzelausgaben, hsg. von Herbert Steiner, Frankfurt 1955

E.T.A. Hoffmann, Werke, hrsg. von Hans Mayer, Frankfurt 1967

Gustav Hübener, Theorie der Romantik. DVS 10, 1932

Ricarda Huch, Die Romantik. II, Ausbreitung und Verfall der Romantik

Karl Immermann, "Landhausleben". Erzählungen von Ludwig Achim von Arnim. "Reisebilder" von H. Heine. In: Jahrbucher für wissenschaftliche Kritik, 1827 und in: Meisterwerke deutscher Literatur-Kritik, hrsg. von Hans Mayer, 2 Bde. Berlin 1954-56, Bd. II (daraus zitiert)

Urs Jenny, Beim Lesen von Achim von Arnim. Nur vermeintliche Modernität. In: Du - kult. Monatsschrift, Zürich Nr. 4692, 1966, S. 577

Hans Jessen, Nachwort zum Neudruck der "Zeitung für Einsiedler", Darmstadt 1962

Christa Karoli, Ideal und Krise des enthusiastischen Künstlertums in der deutschen Romantik. Diss. München 1968

Johannes Klein, Geschichte der deutschen Novelle von Goethe bis zur Gegenwart, Wiesbaden ^{3}1956

Paul Kluckhohn, Die Auffassung der Liebe in der Literatur des 18. Jahrhunderts, Halle a. S. 1922

Paul Kluckhohn, Achim von Arnim, NDB Berlin 1953

Jürgen Knaack, Die politischen Anschauungen Achim von Arnims in ihrer Entwicklung: Mit ungedruckten Texten und einem Verzeichnis sämtlicher Briefe Arnims als Anhang. Diss. (masch.) Hamburg 1973

August Koberstein, Geschichte der deutschen Nationalliteratur, 5. umgearbeitete Aufl. hrsg. von Karl Bartsch, Leipzig 1873

Werner Kohlschmidt, Form und Innerlichkeit. Beiträge zu Geschichte und Wirkung der deutschen Klassik und Romantik, Bern 1955

Werner Kohlschmidt, Der junge Tieck und Wackenroder. In: Die deutsche Romantik, hsg. von Hans Steffen, Göttingen 1967, S. 30-44

Robert König, Deutsche Literaturgeschichte, Bielefeld und Leipzig ^{11}1881

H. A. Korff, Geist der Goethezeit. Versuch einer ideellen Entwicklung der klassisch-romantischen Literaturgeschichte. IV. Teil, Hochromantik, Leipzig 1953, Kap. IV

Karl Kroiss, Untersuchungen zu Achim von Arnims Novellen. Diss. Würzburg 1912

Peter Küpper, Die Zeit als Erlebnis des Novalis, Köln, Graz 1959

Heinrich Laube, Geschichte der deutschen Literatur, 3. Bd., darin: Die romantische Schule, Stuttgart 1840

Otto Leixner, Geschichte der deutschen Literatur, Leipzig 1893

H. R. Liedke, Literary Critism and Romantic Theory in the Work of Arnim, New York 1937

H. R. Liedke, Achim von Arnims Stellung zu Karl Ludwig von Haller und Friedrich d. Gr. In: Jahrbuch des Freien deutschen Hochst. 1963, S. 296 / 340

H. R. Liedke, Vorstudien zu Achim von Arnims "Gräfin Dolores". In: Jahrbuch des Freien deutschen Hochst. (64, 65, 66)

Fritz Lübbe, Die Wendung vom Individualismus zur sozialen Gemeinschaft im romantischen Roman. (In: Literatur und Seele, Beiträge zur psychogenetischen Literaturwissenschaft, Bd. 2), Berlin 1931

Georg Lukacs, Der historische Roman, in: G. L. Werke, Probleme des Realismus III, Bd. 6, Neuwied u. Berlin 1965

H.-J. Mähl, Die Idee des goldenen Zeitalters im Werk des Novalis. Studien zur Wesensbestimmung der frühromantischen Utopie und ihren ideengeschichtlichen Voraussetzungen, Heidelberg 1965

B. Markwardt, Geschichte der deutschen Poetik, Berlin 1958

Horst Meixner, Romantischer Figuralismus: Kritische Studien zu Romanen von Arnim, Eichendorff und Hoffmann, Ars poetica: Studien 13 (1971)

Hellmuth Mielke, Geschichte des Deutschen Romans, Stuttgart 1904

Alexander Mitscherlich, Krankheit als Konflikt, Studien zur psychosomatischen Medizin 2, Frankfurt 5. Aufl. 1970

Hugo Moser, Sage und Märchen in der deutschen Romantik. In: Die deutsche Romantik, hsg. von Hans Steffen, Göttingen 1967, S. 253-276

Andreas Müller, Die Auseinandersetzung der Romantik mit den Ideen der französischen Revolution. DVjS, Buchreihe, Bd. 16, 1936, S. 250 ff (Arnim betreffend)

Joseph Nadler, Geschichte der deutschen Literatur, Regensburg [2]1961

Hans-Peter Neureuther, Das Spiegelmotiv bei Clemens Brentano Diss. Kiel 1968

Paul Noack, Phantastik und Realismus in den Novellen Achim von Arnims. Diss. Freiburg 1952

Novalis, Werke, Briefe, Dokumente, hsg. von Ewald Wasmuth. 2. Aufl., Bde. I - IV,
Heidelberg, 1953-57

E. L. Offermanns, Der universale romantische Gegenwartsroman Achim von Arnims. Die "Gräfin Dolores" - Zur Struktur und ihren geistesgeschichtlichen Voraussetzungen. Diss. Köln 1959

Raimund Öttl, Der zweite Teil der Kronenwächter. Eine Autorschaftsfrage, Progr. 1914, I.

Robert Petsch, Wesen und Formen der Erzählkunst, Halle a. S. 1934

Mario Praz, Liebe, Tod und Teufel. Die schwarze Romantik, München 1963

Wolf-Dietrich Rasch, Achim von Arnims Erzählkunst. In: Deutschunterricht VII, 1955, Heft 2

Frieda Margarete Reuschle, Von der irdischen Bewährung. Zum Briefwechsel zwischen Bettina und Achim von Arnim. In: Die Christenlehre, Berlin 35. Jg. 1963, S. 208 / 11

Ulfert Ricklefs, Magie und Grenze. Studien zu Ludwig Achim von Arnims "Päpstin Johanna"-Dichtung: Entstehungsgeschichte und Interpretation. 2 Teile, Diss. Göttingen 1972

Harald Riebe, Erzählte Welt. Interpretationen zur dichterischen Prosa Achim von Arnims. Diss. Göttingen 1952

Gerhard Rudolph, Studien zur dichterischen Welt Achim von Arnims (In: Quellen und Forschungen zu Sprache und Kulturgeschichte der germanischen Völker. NF 1958)

Wilhelm Rudolph, Achim von Arnim als Lyriker. Diss. Straßburg 1914

Wilhelm Scherer, Geschichte der deutschen Literatur, Bis zur Gegenwart ergänzt von Th. Schultz, Wien, 2. Aufl. 1949

Friedrich Schlegel, Kritische Schriften, hsg. von W.D. Rasch, 2. Aufl. München 1964

Ellinor Schmidt, Achim von Arnims Hinwendung zum Mittelalter und dessen Bild in seinem Roman "Die Kronenwächter". Diss. Berlin 1951

Reinhold Schneider, Über Dichter und Dichtung, Köln, Olten 1953

Friedrich Schönemann, Ludwig Achim von Arnims geistige Entwicklung, an seinem Drama "Halle und Jerusalem" erläutert. In: Untersuchungen zur neueren Sprach- und Literatur-Geschichte, hsg. von Oskar Walzel, Leipzig 1912

Franz Schultz, Klassik und Romantik der Deutschen, Stuttgart 2 Bde, 2. Aufl. 1952

Friedrich Schulze, Die Gräfin Dolores. Diss. Leipzig 1904

Ernst Schürer, Quellen und Fluß der Geschichte: Zur Interpretation von Arnims "Isabella von Ägypten". In: Lebendige Form. Festschrift für Heinrich E.K. Henel, München 1970, S. 179-210

Anton Schwarz, Achim von Arnims Menschentum und seine Stellung zur Geschichte. Diss. Bonn 1922

Oskar Seidlin, Versuche über Eichendorff, Göttingen 1965

Hans Steffen, Lichtsymbolik und Figuration in Arnims erzählender Dichtung. In: Die deutsche Romantik, Göttingen 1967, S. 180-99

Hans Steffen, Märchendichtung in Aufklärung und Romantik. In: Formkräfte der deutschen Dichtung vom Barock bis zur Gegenwart, Göttingen ²1967, S. 100-123

Dorothea Steller, Achim von Arnim und auch ein Faust. In: Jahrbuch der Sgs Kippenberg NF (63)

Fritz Strich, Klassik und Romantik, Bern ⁵1962

Ludwig Tieck, Werke in vier Bänden, hsg. von Marianne Thalmann. Bd. II, Darmstadt 1968

Varnhagen von Ense, Zur Geschichtschreibung und Literatur, Hamburg 1833, S. 537-41

Karl-Heinz Volkmann-Schluck, Novalis' magischer Idealismus. In: Die deutsche Romantik, Göttingen 1967, S. 45-53

Werner Vordtriede, Achim von Arnims "Kronenwächter". In: Die Neue Rundschau 73. 1962, S. 136-145. Auch in: Interpretationen 3, Fischer-Bücherei 1966

Werner Vordtriede, Nachwort zur Reclam-Ausgabe der "Isabella von Ägypten", 1964, S. 137 ff

Werner Vordtriede, Nachwort zu: Achim und Bettina in ihren Briefen, hsg. von, Frankfurt 1961

Werner Vordtriede, Novalis und die französischen Symbolisten, Zur Entstehungsgeschichte des dichterischen Symbols, Stuttgart 1963

Karl Wagner, Die historischen Motive in Arnims "Kronenwächtern". Ein Beitrag zur Erschließung des Ideengehaltes der Dichtung. Goldap, 2 Bde. 1907 / 08, 1909 / 10

Oskar Walzel, Deutsche Romantik, 2 Bde. Leipzig und Berlin, 5. Aufl. 1923 und 1926

Lawrence M. und Ida H. Washington, The Several Aspects of Fire in Achim von Arnim's "Der tolle Invalide". In: GQ 37, 1964, S. 498 / 505

H. F. Weiss, Achim von Arnims "Metamorphosen der Gesellschaft". Ein Beitrag zur gesellschaftskritischen Erzählkunst der frühen Restaurationsepoche. ZdPh 91, 1972

Karl Wenger, Historische Romane deutscher Romantiker, Bern 1905

Benno von Wiese, Der tolle Invalide. In: Deutsche Novelle von Goethe bis Kafka. Bd. II, 1964

Aimé Wilhelm Studien zu den Quellen und Motiven von Achim von Arnims "Kronenwächtern". Diss. Zürich 1955

Rudolph Zimmermann, Ludwig Achim von Arnim und sein Roman "Die Kronenwächter". Diss. Wien 1955

SUMMARY

Arnim's relation to romanticism, always considered problematical, had to be examined: Arnim uses romantic symbols in such a way as to make visible the danger of romantic loss of reality and the political usurpation of the artist. He himself is a romantic writer in so far as his empiricism, based on his critical outlook as to social and ideological views, is counterbalanced by the special conception of his poetical works. He tries, as it were to find the common denominator between what is "mundane" and "eternal". This procedure of his has often led critics to see in Arnim basically a realist.

In its method this investigation combines the comparion of historical topoi with a critical examination of ideology. Arnim criticizes romanticism on the basis of a partially political pragmatism which envisages the "reconciliation of the spirit of old and new times", this concrete aim implies the mythologizing of feudal principles as a weapon against capitalistically enligthened ethics. His social design is dictated by resignation, - an attitude which is reflected in the worldhistorical pessimism of his work. Thus a socio-critical and psychological empiricism (Arnim's prose partially being a sociopsychological unmasking), the criticism of romantic concepts and romantic myth are here understood as complementary techniques and as expressions of the complicated social situation of Arnim the intellectual, landowner and rural economist between feudalism and the new bourgeoisie.

GÖPPINGER ARBEITEN ZUR GERMANISTIK
herausgegeben von
Ulrich Müller, Franz Hundsnurscher und Cornelius Sommer

GAG 1: U. Müller, "Dichtung" und "Wahrheit" in den Liedern Oswalds von Wolkenstein: Die autobiographischen Lieder von den Reisen. (1968)

GAG 2: F. Hundsnurscher, Das System der Partikelverben mit "aus" in der Gegenwartssprache. (1968)

GAG 3: J. Möckelmann, Deutsch-Schwedische Sprachbeziehungen. Untersuchung der Vorlagen der schwedischen Bibelübersetzung von 1536 und des Lehngutes in den Übersetzungen aus dem Deutschen. (1968)

GAG 4: E. Menz, Die Schrift Karl Philipp Moritzens "Über die bildende Nachahmung des Schönen". (1968)

GAG 5: H. Engelhardt, Realisiertes und Nicht-Realisiertes im System des deutschen Verbs. Das syntaktische Verhalten des zweiten Partizips. (1969)

GAG 6: A. Kathan, Herders Literaturkritik. Untersuchungen zu Methodik und Struktur am Beispiel der frühen Werke. (2. Aufl. 1970)

GAG 7: A. Weise, Untersuchungen zur Thematik und Struktur der Dramen von Max Frisch. (3. Aufl. 1972)

GAG 8: H.-J. Schröpfer, "Heinrich und Kunigunde". Untersuchungen zur Verslegende des Ebernand von Erfurt und zur Geschichte ihres Stoffs. (1969)

GAG 9: R. Schmitt, Das Gefüge des Unausweichlichen in Hans Henny Jahnns Romantrilogie "Fluß ohne Ufer". (1969)

GAG 10: W.E. Spengler, Johann Fischart, genannt Mentzer. Studie zur Sprache und Literatur des ausgehenden 16. Jahrhunderts. (1969)

GAG 11: G. Graf, Studien zur Funktion des ersten Kapitels von Robert Musils Roman "Der Mann ohne Eigenschaften". Ein Beitrag zur Unwahrhaftigkeitstypik der Gestalten. (1969)

GAG 12: G. Fritz, Sprache und Überlieferung der Neidhart-Lieder in der Berliner Handschrift germ. fol. 779 (c). (1969)

GAG 13: L.-W. Wolff, Wiedereroberte Außenwelt. Studien zur Erzählweise Heimito von Doderers am Beispiel des "Romans No 7". (1969)

GAG 14: W. Freese, Mystischer Moment und reflektierte Dauer. Zur epischen Funktion der Liebe im modernen deutschen Roman. (1969)

GAG 15: U. Späth, Gebrochene Identität. Stilistische Untersuchungen zum Parallelismus in E.T.A. Hoffmanns 'Lebensansichten des Kater Murr'. (1970)

GAG 16: U. Reiter, Jakob van Hoddis. Leben und lyrisches Werk. (1970)

GAG 17: W.E. Spengler. Der Begriff des Schönen bei Winckelmann. Ein Beitrag zur deutschen Klassik. (1970)

GAG 18: F.K.R. v. Stockert, Zur Anatomie des Realismus: Ferdinand von Saars Entwicklung als Novellendichter. (1970)

GAG 19: St.R. Miller, Die Figur des Erzählers in Wielands Romanen. (1970)

GAG 20: A. Holtorf, Neujahrswünsche im Liebeslied des ausgehenden Mittelalters. Zugleich ein Beitrag zum mittelalterlichen Neujahrsbrauchtum in Deutschland. (1973)

GAG 21: K. Hotz, Bedeutung und Funktion des Raumes im Werk Wilhelm Raabes. (1970)

GAG 22/23: R.B. Schäfer-Maulbetsch, Studien zur Entwicklung des mittelhochdeutschen Epos. Die Kampfschilderungen in "Kaiserchronik", "Rolandslied", "Alexanderlied", "Eneide", "Liet von Troye" und "Willehalm". (2 Bde 1972)

GAG 24: H. Müller-Solger, Der Dichtertraum. Studien zur Entwicklung der dichterischen Phantasie im Werk Christoph Martin Wielands. (1970)

GAG 25: Formen mittelalterlicher Literatur. Siegfried Beyschlag zu seinem 65. Geburtstag von Kollegen, Freunden und Schülern. Herausgegeben von O. Werner und B. Naumann. (1970)

GAG 26: J. Möckelmann/S. Zander, Form und Funktion der Werbeslogans. Untersuchung der Sprache und werbepsychologischen Methoden der Slogans. (1970) (2. Aufl. 1972)

GAG 27: W.-D. Kühnel, Ferdinand Kürnberger als Literaturtheoretiker im Zeitalter des Realismus. (1970)

GAG 28: O. Olzien, Wirken. Aktionsform und Verbalmetapher bei Goethe. (1971)

GAG 29: H. Schlemmer, Semantische Untersuchungen zur verbalen Lexik. Verbale Einheiten und Konstruktionen für den Vorgang des Kartoffelerntens. (1971)

GAG 30: L. Mygdales, F.W. Waiblingers "Phaethon". Entstehungsgeschichte und Erläuterungen. (1971)

GAG 31: L. Pfeiffer, Zur Funktion der Exkurse im "Tristan" Gottfrieds von Straßburg. (1971)

GAG 32: S. Mannesmann, Thomas Manns Roman-Tetralogie "Joseph und seine Brüder" als Geschichtsdichtung. (1971)

GAG 33: B. Wackernagel-Jolles, Untersuchungen zur gesprochenen Sprache. Beobachtungen zur Verknüpfung spontanen Sprechens. (1971)

GAG 34: G. Dittrich-Orlovius, Zum Verhältnis von Erzählung und Reflexion im "Reinfried von Braunschweig". (1971)

GAG 35: H.-P. Kramer, Erzählerbemerkungen und Erzählerkommentar in Chrestiens und Hartmanns "Erec" und "Iwein". (1971)

GAG 36: H.-G. Dewitz, "Dante Deutsch". Studien zu Rudolf Borchardts Übertragung der 'Divina Comedia'. (1971)

GAG 37: P. Haberland, The Development of Comic Theory in Germany during the Eighteenth Century. (1971)

GAG 38/39: E. Dvoretzky, G.E. Lessing. Dokumente zur Wirkungsgeschichte (1755 bis 1968). (2 Bde 1971/72)

GAG 40/41: G.F. Jones/H.D. Mück/U. Müller, Vollständige Verskonkordanz zu den Liedern Oswald von Wolkenstein. (Hss. B und A) (2 Bde 1973)

GAG 42: R. Pelka, Werkstückbenennungen in der Metallverarbeitung. Beobachtungen zum Wortschatz und zur Wortbildung der technischen Sprache im Bereich der metallverarbeitenden Fertigungstechnik. (1971)

GAG 43: L. Schädle, Der frühe deutsche Blankvers unter besonderer Berücksichtigung seiner Verwendung durch Chr. M. Wieland. (1972)

GAG 44: U. Wirtz, Die Sprachstruktur Gottfried Benns. Ein Vergleich mit Nietzsche. (1971)

GAG 45: E. Knobloch, Die Wortwahl in der archaisierenden chronikalischen Erzählung: Meinhold, Raabe, Storm, Wille, Kolbenheyer. (1971)

GAG 46: U. Peters, Frauendienst. Untersuchungen zu Ulrich von Lichtenstein und zum Wirklichkeitsgehalt der Minnedichtung. (1971)

GAG 47: M. Endres, Word Field and Word Content in Mittle High German. The Applicability of Word Field Theory to the Intellectual Vocabulary in Gottfried von Strassburg's "Tristan". (1971)

GAG 48: G.M. Schäfer, Untersuchungen zur deutschsprachigen Marienlyrik des 12. und 13. Jahrhunderts. (1971)

GAG 49: F. Frosch-Freiburg, Schwankmären und Fabliaux. Ein Stoff- und Motivvergleich. (1971)

GAG 50/51: G. Steinberg, Erlebte Rede. Ihre Eigenart und ihre Formen in neuerer deutscher, französischer und englischer Erzählliteratur. (1971)

GAG 52: O. Boeck, Heines Nachwirkung und Heine-Parallelen in der französischen Dichtung. (1971)

GAG 53: F. Dietrich-Bader, Wandlungen der dramatischen Bauform vom 16. Jahrhundert bis zur Frühaufklärung. Untersuchungen zur Lehrhaftigkeit des Theaters. (1972)

GAG 54: H. Hoefer, Typologie im Mittelalter. Zur Übertragbarkeit typologischer Interpretation auf weltliche Dichtung. (1971)

GAG 55/56: U. Müller, Politische Lyrik des deutschen Mittelalters. I Einleitung, tabellarische Übersicht mit Einzelkommentaren von den Anfängen bis Michel Beheim. II Untersuchungen. (1972/73)

GAG 57: R. Jahović, Wilhelm Gerhard aus Weimar, ein Zeitgenosse Goethes. (1972)

GAG 58: B. Murdoch, The Fall of Man in the Early Middle High German Biblical Epic: the "Wiener Genesis", the "Vorauer Genesis" and the "Anegenge". (1972)

GAG 59: H. Hecker, Die deutsche Sprachlandschaft in den Kantonen Malmedy und St. Vith. Untersuchungen zur Lautgeschichte und Lautstruktur ostbelgischer Mundarten. (1972)

GAG 60: Wahrheit und Sprache. Festschrift für Bert Nagel zum 65. Geburtstag am 27. August 1972. Unter Mitwirkung v. K. Menges hsg. von W. Pelters und P. Schimmelpfennig. (1972)

GAG 61: J. Schröder, Zu Darstellung und Funktion der Schauplätze in den Artusromanen Hartmanns von Aue. (1972)

GAG 62: D. Walch, Caritas. Zur Rezeption des "mandatum novum" in altdeutschen Texten. (1973)

GAG 63: H. Mundschau, Sprecher als Träger der 'tradition vivante' in der Gattung 'Märe'. (1972)

GAG 64: D. Strauss, Redegattungen und Redearten im "Rolandslied" sowie in der "Chanson de Roland" und in Strickers "Karl". (1972)

GAG 65: 'Getempert und gemischet' für Wolfgang Mohr zum 65. Geburtstag von seinen Tübinger Schülern. Hrsg. von F. Hundsnurscher und U. Müller. (1972)

GAG 66: H. Fröschle, Justinus Kerner und Ludwig Uhland. Geschichte einer Dichterfreundschaft. (1973)

GAG 67: U. Zimmer, Studien zu 'Alpharts Tod' nebst einem verbesserten Abdruck der Handschrift. (1972)

GAG 68: U. Müller (Hsg.), Politische Lyrik des deutschen Mittelalters. Texte I. (1972)

GAG 69: Y. Pazarkaya, Die Dramaturgie des Einakters. Der Einakter als eine besondere Erscheinungsform im deutschen Drama des 18. Jahrhunderts. (1973)

GAG 70: Festschrift für Kurt Herbert Halbach. Hsg. von R. B. Schäfer-Maulbetsch, M. G. Scholz und G. Schweikle. (1972)

GAG 71: G. Mahal, Mephistos Metamorphosen. Fausts Partner als Repräsentant literarischer Teufelsgestaltung. (1972)

GAG 72: A. Kappeler, Ein Fall der "Pseudologia phantastica" in der deutschen Literatur: Fritz Reck-Malleczewen.

GAG 73: J. Rabe, Die Sprache der Berliner Nibelungenlied-Handschrift J (Ms. germ. Fol. 474). (1972)

GAG 74: A. Goetze, Pression und Deformation. Zehn Thesen zum Roman "Hundejahre" von Günter Graß. (1972)

GAG 75: K. Radwan, Die Sprache Lavaters im Spiegel der Geistesgeschichte. (1972)

GAG 76: H. Eilers, Untersuchungen zum frühmittelhochdeutschen Sprachstil am Beispiel der Kaiserchronik. (1972)

GAG 77: P. Schwarz, Die neue Eva. Der Sündenfall in Volksglauben und Volkserzählung. (1973)

GAG 78: G. Trendelenburg, Studien zum Gralraum im "Jüngeren Titurel". (1973)

GAG 79: J. Gorman, The Reception of Federico Garcia Lorca in Germany. (1973)

GAG 80: M. A. Coppola, Il rimario dei bispel spirituali dello Stricker. (1973)

GAG 81: P. Neesen, Vom Louvrezirkel zum Prozeß. Franz Kafka unter dem Eindruck der Psychologie Franz Brentanos. (1972)

GAG 82: U.H. Gerlach, Hebbel as a Critic of His Own Works: "Judith", "Herodes und Marianne" and "Gyges und sein Ring". (1972)

GAG 83: P. Sandrock, The Art of Ludwig Thoma.

GAG 84: U. Müller (Hsg.), Politische Lyrik des deutschen Mittelalters. Texte II: Von 1350 bis 1466.

GAG 85: M. Wacker, Schillers "Räuber" und der Sturm und Drang. Stilkritische und typologische Überprüfung eines Epochenbegriffes. (1973)

GAG 86: L. Reichardt, Die Siedlungsnamen der Kreise Giessen, Alsfeld und Lauterbach in Hessen. Namenbuch. (1973)

GAG 87: S. Gierlich, Jean Paul: "Der Komet oder Nikolaus Marggraf. Eine komische Geschichte." (1972)

GAG 88: B.D. Haage (Hsg.), Das Arzneibuch des Erhart Hesel. (1973)

GAG 89: R. Roßkopf, Der Traum Herzeloydes und der Rote Ritter. Erwägungen über die Bedeutung des staufisch-welfischen Thronstreites für Wolframs "Parzival". (1972)

GAG 90: B. Webb, The Demise of the "New Man": An Analysis of Late German Expressionism. (1973)

GAG 91: I. Karger, Heinrich Heine. Literarische Aufklärung und wirkbetonte Textstruktur. Untersuchungen zum Tierbild.

GAG 92: B.S. Wackernagel-Jolles (Hsg.), Aspekte der gesprochenen Sprache. Deskriptions- und Quantifizierungsprobleme. Eingeleitet von S. Grosse.

GAG 93: A. Harding, An Investigation into the Use and Meaning of Medieval German Dancing Terms. (1973)

GAG 94: D. Rosenband, Das Liebesmotiv in Gottfrieds "Tristan" und Wagners "Tristan und Isolde". (1973)

GAG 95: H.-F. Reske, Jerusalem Caelestis. Bildformeln und Gestaltungsmuster. Darbietungsformen eines christlichen Zentralgedankens in der deutschen geistlichen Dichtung des 11. u. 12. Jhds. Mit besonderer Berücksichtigung des "Himmlischen Jerusalem" und der "Hochzeit" (V. 379-508). (1973)

GAG 96: D. Ohlenroth, Sprechsituation und Sprecheridentität. Untersuchungen zum Verhältnis von Sprache und Realität im frühen deutschen Minnesang.

GAG 97: U. Gerdes, Bruder Wernher. Beiträge zur Deutung seiner Sprüche. (1973)

GAG 98: N. Heinze, Zur Gliederungstechnik Hartmanns von Aue. Stilistische Untersuchungen als Beiträge zu einer strukturkritischen Methode. (1973)

GAG 99: E. Uthleb, Zeilen und Strophen in der Jenaer Liederhandschrift.

GAG 100: Wolfram von Eschenbach. Willehlam, Übersetzt von O. Unger. Mit einem Geleitwort von Ch. Gerhardt.

GAG 101: H. Kalmbach, Bildung und Dramenform in Goethes "Faust".

GAG 102: B. Thole, Die "Gesänge" in den Stücken Berthold Brechts. Zur Geschichte und Ästhetik des Liedes im Drama. (1973)

GAG 103: J.-H. Dreger, Wielands "Geschichte der Abderiten". Eine historisch-kritische Untersuchung. (1973)

GAG 104: B. Haustein, Achim von Arnims dichterische Auseinandersetzung mit dem romantischen Idealismus.

GAG 105: F.B. Parkes, Epische Elemente in Jakob Michael Reinhold Lenzens Drama "Der Hofmeister". (1973)

GAG 106: K.O. Seidel, 'Wandel' als Welterfahrung des Spätmittelalters im didaktischen Werk Heinrichs des Teichners. (1973)

GAG 107: I-V Die Kleindichtung des Strickers. In Zusammenarbeit mit G. Agler und R.E. Lewis hsg. von W.W. Moelleken

GAG 108: G. Datz, Die Gestalt Hiobs in der kirchlichen Exegese und der "Arme Heinrich" Hartmanns von Aue. (1973)

GAG 109: J. Scheibe, Der "Patriot" (1724-1726) und sein Publikum. Untersuchungen über die Verfassergesellschaft und die Leserschaft einer Zeitschrift der frühen Aufklärung. (1973)

GAG 110: E. Wenzel-Herrmann, Zur Textkritik und Überlieferungsgeschichte einiger Sommerlieder Neidharts. (1973)

GAG 111: K. Franz, Studien zur Soziologie des Spruchdichters in Deutschland im späten 13. Jahrhundert.

GAG 112: P. Jantzmik, Zu Möglichkeiten und Grenzen typologischer Exegese in mittelalterlicher Predigt und Dichtung. (1973)

GAG 113: G. Inacker, Antinomische Strukturen im Werk Hugo von Hofmannsthals. (1973)

GAG 114: R.S. Geehr, Adam Müller-Gutenbrunn and the Aryan Theater of Vienna 1898-1903. The Approach of Cultural Fascism. (1973)

GAG 115: R. M. Runge, Proto-Germanic /r/. (1973)

GAG 116: L. Schuldes, Die Teufelsszenen im deutschen geistlichen Drama.

GAG 117: Ch. Krüger, Geschichtsphilosophie und politische Literatur. Friedrich Schlegel und Georg Forster über die französische Revolution.

GAG 118: G. Vogt, Studien zur Verseingangsgestaltung in der deutschen Lyrik des Hochmittelalters.

GAG 119: B. C. Bushey, "Tristan als Mönch". Untersuchungen und kritische Edition.

GAG 120: St. C. Haroff, Wolfram: And HIS Audience: A Study of the Theme is of Quest and of Recognition of Kinship Identity.

GAG 121: S. Schumm, Einsicht und Darstellung. Untersuchung zum Kunstverständnis E. T. A. Hoffmanns.

GAG 122: O. Holzapfel, Die Dänischen Nibelungenballaden. Texte und Kommentare.

L I T T E R A E
GÖPPINGER BEITRÄGE ZUR TEXTGESCHICHTE
hsg. von U. Müller, F. Hundsnurscher, C. Sommer

LIT 1 Die Große Heidelberger ("Manessische") Liederhandschrift. In Abbildung herausgegeben von Ulrich Müller. Mit einem Geleitwort von Wilfried Werner. (1971)

LIT 2 Heinrich von Morungen. Abbildungen zur gesamten handschriftlichen Überlieferung. Hsg. von Ulrich Müller. (1971)

LIT 3 Hartmann von Aue, Der arme Heinrich. Materialien und Abbildungen zur gesamten handschriftlichen Überlieferung. Hsg. von Ulrich Müller. (1971)

LIT 4 Wolfram von Eschenbach, Parzival. Lachmanns "Buch III", Abbildung und Transkription der Leithandschriften D und G. Hsg. von Jürgen Kühnel. (1971)

LIT 5 Der Trobador Wilhelm IX. von Aquitanien. Abbildungen zur handschriftlichen Überlieferung. Mit Text und Übersetzung hsg. von Peter Hölzle.

LIT 6 Wernher der Gartenaere, Helmbrecht. Abbildungen zur gesamten handschriftlichen Überlieferung. Hsg. von Franz Hundsnurscher. (1972)

LIT 7 Walther von der Vogelweide. Abbildungen und Materialien zur gesamten handschriftlichen Überlieferung. Hsg. v. Horst Brunner, Ulrich Müller und Franz V. Spechtler.

LIT 8 Der Stricker. Abbildungen zur handschriftlichen Überlieferung der Verserzählungen "Der nackte Bote" und "Die Martinsnacht" sowie zum "Weinschwelg". Hsg. von Johannes Janota.

LIT 9 Der Trobador Jaufre Rudel. Abbildungen zur handschriftlichen Überlieferung. Hsg. von Peter Hölzle.

LIT 10 Die Jenaer Liederhandschrift. In Abbildung herausgegeben von Helmut Tervooren und Ulrich Müller. Mit einem Anhang: Die Basler und Wolfenbüttler Fragmente. (1972)

LIT 11 Abbildungen zur Neidhart-Überlieferung I: Die Berliner Neidhart-Handschrift R und die Pergamentfragmente Cb, K, O und M. Hsg. von Gerd Fritz. (1973)

LIT 12 Abbildungen zur Überlieferung der Lieder Oswald von Wolkenstein I: Die Innsbrucker Wolkenstein-Hs. B. Hsg. von Hans Moser und Ulrich Müller. (1972)

LIT 13 Tannhäuser. Die lyrischen Gedichte der Hss. C und J. Abbildungen und Materialien zur gesamten Überlieferung der Texte und ihrer Wirkungsgeschichte und zu den Melodien. Hsg. von Helmut Lomnitzer und Ulrich Müller. (1973)

LIT 14 Bildmaterial zur mittelalterlichen Überlieferungsgeschichte. Hsg. von Günther Schweikle.

LIT 15 Abbildungen zur Neidhart-Überlieferung II: Die Berliner Neidhart-Handschrift c.

LIT 16 Abbildungen zur Überlieferung der Lieder Oswalds von Wolkenstein II: Die Innsbrucker Wolkenstein-Handschrift c. Hsg. v. Hans Moser, Ulrich Müller und Franz V. Spechtler.

LIT 17 Ulrich von Lichtenstein, Frauendienst (Ausschnitte). In Abb. aus dem Münchner Cod. germ. 44 und der Großen Heidelberger Liederhandschrift hsg. v. Ursula Peters. (1973)

LIT 18 Die sogenannte "Mainauer Naturlehre" der Basler Hs. B VIII 27. Abbildung, Transkription, Kommentar. Hsg. von Helmut R. Plant, Marie Rowlands und Rolf Burkhart. (1972)

LIT 19 Gottfried von Straßburg, Tristan. Ausgewählte Abbildungen z. Überlieferung. Hsg. von Hans-Hugo Steinhoff.

LIT 20 Abbildungen zur deutschen Sprachgeschichte. I Bildband. Hsg. von Helmut R. Plant.

LIT 21 Hans Sachs, Fastnachtspiele und Schwänke. In Abbildungen aus der Sachs-Hs. Amb. 2° 784 der Stadtbibliothek Nürnberg hsg. von Walter Eckehart Spengler. (1974)

LIT 22 Heinrich Haller, Übersetzungen im "gemeinen Deutsch" (1464). Aus den Hieronymus-Briefen: Abbildungen von Übersetzungskonzept, Reinschrift, Abschrift und Materialien zur Überlieferung. Hsg. von Erika Bauer. (1972)

LIT 23 Das Nibelungenlied. Abbildungen und Materialien zur gesamten handschriftlichen Überlieferung der Aventiuren I und XXX. Hsg. von Otfrid Ehrismann. (1973)

LIT 24 Hartmann von Aue, Iwein. Ausgewählte Abbildungen zur handschriftlichen Überlieferung. Hsg. von Lambertus Okken. (1974)

LIT 25 Christoph Martin Wieland, Das Sommermärchen. Abbildungen zur Druckgeschichte.

LIT 26 Wolfram von Eschenbach, Titurel. Abbildungen sämtlicher Handschriften mit einem Anhang zur Überlieferung des Textes im "Jüngeren Titurel". Hsg. von Joachim Heinzle. (1973)

LIT 27 Bruder Wernher. Abbildungen und Materialien zur gesamten handschriftlichen Überlieferung. Hsg. von Udo Gerdes.

LIT 28 Hartmann von Aue, Gregorius. Ausgewählte Abbildungen zur handschriftlichen Überlieferung. Hsg. von Norbert Heinze. (1974)

LIT 29 Die Bruchstücke der Altsächsischen Genesis. In Abbildung hsg. von Ute Schwab.

LIT 30 Hartmann von Aue, Der arme Heinrich. Fassung Bb. In Abbildung aus dem "Kalocsaer Kodex" hsg. von Cornelius Sommer. (1973)

LIT 31 Hartmann von Aue, Erec. Abbildungen der gesamten handschriftlichen Überlieferung. Hsg. von Franz Hundsnurscher und Ulrich Müller.

LIT 32 Kudrun. Abbildungen der gesamten handschriftlichen Überlieferung. Hsg. von Johannes Janota.

LIT 33 Der "Moriz von Craûn" und die Erzählungen Herrands von Wildonje. Aus dem Ambraser Heldenbuch hsg. von Franz Hundsnurscher.